세상을 바꾸는 푸드 트렌드

박선호

https://brunch.co.kr/@foodstart

식품/외식/유통 대기업에서 본부장으로 근무했으며,
27년간 경험과 이론을 바탕으로 한 업(業)의 전문가!
식(食)산업에서 창조적 파괴를 통한 새로운 트렌드 및
비즈니스 모델 공유!

발 행 ㅣ 2025-02-05

저 자 ㅣ 박선호

펴낸이 ㅣ 한건희

펴낸곳 ㅣ 주식회사 부크크

출판사등록 ㅣ 2014.07.15(제2014-16호)

주 소 ㅣ 서울 금천구 가산디지털1로 119, A동 305호

전 화 ㅣ 1670 - 8316

이메일 ㅣ info@bookk.co.kr

ISBN ㅣ 979-11-419-8360-4

본 책은 브런치 POD 출판물입니다.

https://brunch.co.kr

www.bookk.co.kr

세상을
바꾸는
푸드 트렌드

박선호 지음

PROLOGUE

2018년 국내 최저임금이 7,530원으로 전년 6,470원 대비 16.4% 증가했다. 2001년 이후 최고의 상승률로 노동집약적 사업을 운영하는 주체들은 해결방안을 거의 찾지 못했다.

여기에 2017년부터 15~64세에 해당하는 생산가능인구가 3,757만명을 정점으로 감소세로 접어들면서, 국내 내수시장은 본격적으로 수축사회로 들어가는 문을 열었다. 핵심 소비연령 인구이자 세금을 내는 생산가능인구의 감소는 소비의 감소로 이어지게 되며, 연쇄적으로 생산도 줄어들게 된다. 결국 경제는 쪼그라든다. 더욱이 수요 위축에 따른 경기 부진은 장기불황으로 이어진다. 시간이 지나서 수요 위축의 충격이 완화되면, 그때부터는 노동력 부족 현상이 나타난다. 이러한 모습은 이미 일본과 유럽에서 나타난 현상이다.

예상하지 못했던 정부 정책과 인구통계학적 변화는 시장의 트렌드를 급변하게 만들었다. 인력을 기반으로 한 기업들은 인건비 상승과 구인난의 어려움에 봉착하면서 생존을 위한 돌파구로 혁신적 변화를 추구했다. 변화의 충격을 최대한 완화하고 생산성을 끌어올리는 노력을 구체화하기 시작한 것이다.

자동화 및 디지털화를 통해서 인력을 최소화하고 생산성을 최적화하였다. 이 시점을 기점으로 우리는 다양한 변화를 외식업을 포함한 서비스업에서 체감했다. 이전에는 많지 않았던 셀프(Self)라는 단어가 눈에 띄게 증가한 것이다.

주유소가 가장 대표적이다. 예전부터 선진 유럽은 셀프 주유소가 보편화되어 있었으나, 서비스를 중시하는 국내는 확장성이 빠르지 않았다. 하지만 지금은 사람이 주유를 해주는 주유소를 찾기가 어려울 정도다. 편의점, 아이스크림전문점 등도 무인화 속도가 빠르게 이루어지고 있다. 과거 패스트푸드와 푸드코트에만 보였던 키오스크(Kiosk) 시스템도 웬만한 식당에서 볼 수가 있으며, 서빙로봇을 구축한 식당도 흔하게 발견된다.

몇 년 전 유행했던 코로나19는 머리가 어지러울 정도로 세상의 변화를 가속화시켰다. 온라인을 통한 비대면 서비스는 플랫폼 비즈니스와 빅데이터, AI, 메타버스 등의 디지털 트랜스포메이션(Digital Transformation)을 더 이상 먼 미래의 이야기가 아닌 현실로 만들었다.

이처럼 정책, 인구, 환경 등의 영역에서 예상하지 못했던 일들이 발생하면서 절박함과 생존을 위해 기업을 포함한 사업의 주체들은 변화와 혁신을 만들어 낸다.

'세상을 바꾸는 푸드 트렌드'는 이처럼 급변하는 환경 속에 좀 더 미래를 빠르게 준비할 수 있도록 정보와 지식을 한곳에 모아서 관련된 분들에게 제공하고자 한다.

특히, 식(食) 관련 외식, 유통, 식품산업 속에서 불확실한 비즈니스 환경과 다양한 고객 니즈의 변화를 반영하여, 식(食)산업에서 창조적 파괴를 통한 새로운 트렌드 및 비즈니스 모델에 관한 인사이트를 제공하려고 노력했다.

세부적으로 보면 이 책은 4차 산업혁명과 급변하는 환경 속에 다양한 기회를 발굴할 수 있는 아이디어를 제시한다. 또한, 국내 가장 많은 창업과 자영업자가 소속된 식(食)문화 및 산업과 연결한 새로운 비즈니스의 베스트 프랙티스(Best Practice)를 보여주면서, 창의적이며 도전을 꿈꾸는 사람들에게 희망과 열정을 불러 일으켜 주는데 도움을 줄 것이다.

더불어 외식, 유통, 식품산업 내 밸류체인(Value Chain)속 기업과 스타트업의 벤치마킹 사례는 관심과 재미를 강화함으로써 책의 몰입도를 올렸다. 추가로 역사 속 식(食)산업 기술의 진화를 보면서 인문학적 지식도 제공한다. '세상을 바꾸는 푸드 트렌드'는 파편화 된 지식을 한 곳에 모아 체계적으로 정리함으로 식(食)산업에 관심이 있는 사람들이 쉽게 지식을 얻고 이해할 수 있도록 집필했다.

2025년 2월

박 선호

CONTENTS

CONTENTS

1장. 급변하는 산업혁명 속 새로운 기술의 창조적 파괴

변화의 촉매제 산업혁명

에너지의 전환 1, 2차 산업혁명
디지털의 시대 3, 4차 산업혁명

Preference

4차 산업혁명과 함께 푸드테크도 급진적 변화가 일어나고 있다.

과거부터 산업혁명은 세상을 바꾸는 혁신의 촉매제였다.

4차 산업혁명 속 푸드테크를 이해하기 위해 역사 안에서 산업혁명이 어떠한 역할을 했는지 잠시 들여다보고자 한다. 18세기 이전 인류의 모습은 기원전과 비교해도 별반 차이가 없었다. 우리가 영화 또는 드라마 속에서 본 세계사의 모습도 건축 양식과 의상 외에는 특별한

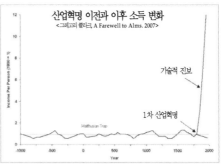

산업혁명 이전과 이후 소득 변화
(그레고리클라크 2007)

11

변화가 나타나지 않는다.

하지만, 인류는 **산업혁명 이후 산업화와 기술 발달 등으로 폭발적인 변화**가 일어나기 시작했다.

그리고 지속적으로 인류의 역사에서 이러한 특별한 이벤트는 급격한 발전과 창조가 일어나는 계기를 만들었다.

최초 1차 산업혁명은 증기의 발견으로 인류가 기하급수적으로 변화하는 첫 시발점이 되었다.

물론, 인류는 산업혁명 이전 과거부터도 매우 다양한 에너지를 활용하고 있었다. 장작을 때서 집안의 난방과 음식을 만드는 것에 활용했으며, 물의 흐르는 힘을 이용해 물레방아를 돌리는 동력으로 사용하기도 했고, 바람의 힘인 풍력을 활용해 범선 등을 움직이는데 이용했다.

하지만, 그 당시에는 하나의 에너지를 다른 에너지로 바꾸는 에너지 전환 기술에 대한 이해와 방법을 몰랐다. 예를 들자면 바람과 물을 이용해서 배를 움직이고 물레방아를 돌릴 수는 있지만, 이를 통해 물을 데우거나 난방에 활용하는 것은 하지를 못했다.

인류는 에너지를 활용하면서 에너지의 전환을 지속적으로 목격했다. 하지만, 그것을 또 다른 에너지로 전환한다는 것은 깨우치지 못했다.

음식과 물을 끓이면서 물의 온도가 100% 이상이 될 시, 주전자의 뚜껑이 튀어 오르는 것을 보면서도 열에너지가 운동에너지로 전환된다는 것을 생각하지를 못했다.

인류는 18세기 **증기기관이 발명되면서 드디어 에너지 전환을 통한 문명의 발전을 이루기 시작**했다.

석탄과 같은 연료를 태워 거기서 나오는 열에너지로 물을 끓여 증기를 발생시키고, 증기의 팽창을 통해 피스톤을 밀어내고 피스톤이 움직이면서 연결된 기계가 작동하는 원리이다. 이렇게 산업혁명은 증기를 통해 처음 시작을 알렸다.

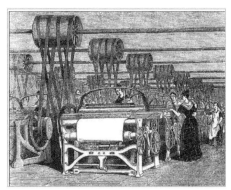

1차 산업혁명은 앞에서 언급했듯이 에너지의 전환을 통해

1차 산업혁명의 시작, 직물공장(구글이미지)

기계 문명이 인류에 본격적으로 등장하는 시대이다. 기존에 주로 **인간의 손과 발로 수행되었던 수작업에서 본격적으로 기계가 대신하게 되면서 대량생산의 토대를 마련하였고 급속한 문명 발전의 기초가 되었다.**

1차 산업혁명 발생의 근본적 배경은 18세기(1784년) 영국에서 면직물에 대한 수요가 급증하자, 부족한 인력을 대신할 수 있는 방안을 고민하면서부터 시작되었다.

특히, 증기기관의 탄생은 기계를 통한 자동화가 본격적으로 도입되게 된 배경이 되었다.

이러한 자동화는 다양한 공장의 탄생을 이끌었으며, 기존에 무기 이외에 많이 사용하지 않던 철과 강철의 사용도 본격적으로 활성화하게 되었다.

또한, 혁신적인 동력원의 발명을 만들어 냈다. 증기기관차, 증기기관 배 등 다양한 동력원은 많은 상품의 이동을 가능하게 만들었고, 국가 간에 무역도 빠르게 활성화되기 시작했다.

1차 산업혁명을 통해 수작업에서 기계화로 전환(구글 이미지)

이런 다양한 동력원이 원활하게 이동하기 위해서 다리 및 항만 등의 인프라가 발전하게 되었고 도시, 국가 간 연결성이 본격적으로 강화되기 시작했다.

2차 산업혁명은 다양한 에너지로 전환이 가능하게 함으로써 기계가 가정에서 사용되는 배경이 되었다.

2차 산업혁명은 1870년대에 토머스 에디슨이 세계 최초로 전기기구인 실용적 조명전구를 발명하면서 출발했다고 볼 수 있다.

실제 전기의 발견은 BC 600년경 고대 그리스 철학자 탈레스가 호박이라는 보석을 통해 발견했다. 탈레스는 우연히 호박을 모피에 문질렀다. 이때 전하가 발생하며 머리카락과 먼지 같은 것이 호박에 붙는 것을 보고 최

14

초로 전기를 발견한 것이다. 전기의 영문표기인 'electricity' 호박의 그리스어 'electron'에서 유래한 것이다.

이후 16세기 윌리엄 길버트가 전기를 체계적 연구하여 전기력과 자기력의 차이를 밝혔다.

시간이 지나면서 최초의 전기 모터, 전신용 계전기가 발명되었고, 드디어 토머스 에디슨이 1879년 상업용 유리 진공전구를 개발하면서 본격적으로 전기를 활용한 산업혁명이 시작된 것이다. 전기는 모든 생산 시스템에서 혁신적인 변화를 일으켰다.

에디슨의 전구 발명(구글 이미지)

증기기관의 경우 석탄을 연소시킨 후에 발생하는 열에너지를 운동에너지로 바꿔 주는 에너지 전환의 획기적 발명이었지만, 단 한 가지 형태로만 전환되었다. 그 외의 다른 에너지로 전환은 어려웠다.

하지만, 전기는 다양한 에너지로 전환이 가능하여 더욱 효율적이다.

예를 들자면, **발열기를 작동하여 전기에너지를 열에너지로 바꾸어 주는 것을 비롯하여 빛에너지, 소리에너지 등 다양한 에너지로도 전환**이 가능하게 만들어 주었다.

전기를 통한 본격적 2차 산업혁명이 일어나는 시점에 전기 외에도 석유까지 발견되면서 화학 산업에서도 엄청난 성장을 이끌어 내었다.

1차 산업혁명이 기계를 공장에서 사용하게 만들었다면, 2차 산업혁명은 전구, 축음기, 냉장고 등의 기계를 가정에 사용하게 만들었다. 전기를 활용한 기계가 우리 일상생활에 들어오게 되면서 가사 노동에서 벗어날 수 있는 환경이 조성된 것이다.

또한, 전기에너지는 인류 생활 문명의 표준으로 자리매김하면서 대다수의 산업에서 표준화를 통한

표준화를 통한 대량 생산체계(구글 이미지)

대량 생산 체계의 도입이 이루어졌다.

2차 산업혁명은 기업, 국가, 분업 간 노동과 공급망, 생산의 연결성을 촉진시켰다.

기술의 발전을 통한 세계를 넘나드는 연결성이 급속히 발전하면서 서로의 시장을 차지하고자 하는 욕심이 발생하기 시작했다. 기술이 앞선 선진국 중심으로 욕심은 국가 간 전쟁으로 이어지고 후진국 및 기술이 낙후된 국가를 식민지로 만드는 나쁜 영향도 발생했다.

인터넷의 등장은 실시간 연결성과 네트워크가 확대되며 기존에서 볼 수 없었던 온라인상의 새로운 시대를 열었다. 1969년 **인터넷의 전신인 알파**

넷(ARPANET)이 개발되면서 디지털 및 정보통신기술 시대를 여는 서막이자, 3차 산업혁명의 시작을 알린다.

다양한 발견이 전쟁과 무기 개발에서 발견되었듯이 알파넷도 미국과 소련의 힘겨루기가 매우 심했던 냉전시대인 60년대 미국 국방성 산하의 고등연구국에서 만들어졌다. 미국은 소련과의 핵전쟁 중에도 파괴되지 않고 안정적인 정보 교환을 위한 통신체계를 연구했다.

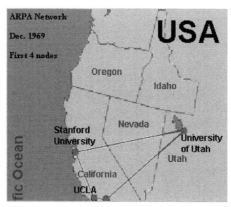

알파넷 네트워크(구글 이미지)

그 결과 1969년 캘리포니아대학교 로스앤젤레스, 스탠퍼드 연구소, 캘리포니아대학교 산타바버라대, 유타주립대학교 4개 대학을 네트워크로 연결하여, 최초의 패킷 스위칭 네트워크인 '알파넷'을 개통했다. 이 네트워크가 바로 인터넷의 시초였다.

이후, 1983년 개방성과 독립성이 강한 TCP/IP(Transmission Control Protocol/Internet Protocol, 서로 다른 시스템을 가진 컴퓨터들을 서로 연결하고, 데이터를 전송하는 데 사용하는 통신 프로토콜들의 집합) 인터넷 표준 프로토콜이 채택되고, 일반인을 위한 알파넷과 군사용 밀넷으로 분리되면서 인터넷 환경 기반이 구축되었다.

전쟁을 위해 개발되었던 기술이 일상생활에서 누구나 가지고 활용할 수 있는 세상을 만든 것이다.

3차 산업혁명은 정보통신 기술을 기반으로 사람, 환경, 기계 등의 연결성을 강화하게 만든 인터넷 문명의 등장이 핵심이다.

또한, 2차 산업혁명까지는 대량생산과 대중문화가 발달하는 규모의 경제 시대였다면, **3차 산업혁명은 개인화로 점점 접어드는 시대다.**

공장과 오피스 등에서는 자동화시스템이 진행되었고, 이를 통해 로봇까지 등장하게 만들었다.

정보통신기반 연결(구글 이미지)

컴퓨터와 인터넷이 발달하게 되면서 정보는 더 많이 더 빠르게 공유되기 시작했고, 정보의 비대칭성이 점점 사라지면서 세상은 보다 투명 해졌다.

과거처럼 특정인이 정보의 기득권을 갖고 권력과 자본을 흔드는 시절은 저물어 가게 되었다.

로봇 및 자동화 시스템(구글 이미지)

IT기반 정교한 자동화 시스

템의 대폭적 확대는 생산성이 급격히 강화되게 만들었다.

이 시점은 사람과 사람, 사람과 기계, 사람과 자연 간의 연결성이 본격적으로 촉진된 시기이다. 연결성은 기존의 제조업 기반의 대산업 시대를 마무리하고 새로운 협업시대를 열어가는 출발점이 된다.

1~3차 산업혁명이 인간의 손과 발을 대체하는 과정이었다면, **4차 산업혁명은 인공지능을 포함한 디지털 전환을 통해 두뇌를 대체하는 극단적 자동화 과정**이다.

4차 산업혁명은 디지털 혁명인 3차 산업혁명에 기반을 둔다. 이를 바탕으로 디지털, 물리적, 생물학적 기존 영역의 경계가 사라지면서 **초연결, 초지능, 초융합이 이루어지는 기술적 혁명**이 일어나는 과정이다.

현실과 가상이 융합되어 사물을 자동적, 지능적으로 제어할 수 있는 가상의 물리 시스템이 구축되는 시기이기도 하다. 3차 산업혁명과 4차 산업혁명은 비슷한 측면도 있지만 변화의 속도, 변화의 범위, 시스템의 영향 측면에서 큰 차이를 보이고 있다.

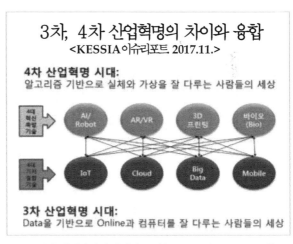

3, 4차 산업혁명의 차이와 융합(KESSIA 리포트, 2017년)

또한, 1~3차 산업혁명은 제조업을 중심으로 한 생산혁명이었다면, 4차 산업혁명은 모든 산업 분야에서 걸쳐 일어나는 소비혁명이다.

3차 산업혁명까지는 생산자 중심의 혁신이 지배했다. 생산자는 다양한 구조혁신, 프로세스 개선 등에서 효율적 방법으로 고성능, 고품질, 고품격 제품을 만들기 위해 노력하고 시장에서 고객의 마음을 얻기 위해 경쟁하는 구조였다.

반면, 4차 산업혁명 속에서 전개될 사업 방식은 소비자가 제품의 종류와 특성뿐 아니라 생산시점까지 결정하는 형태가 될 전망이다.

모든 관점이 소비자 지배로 움직인다.

소비자의 사용 패턴도 변화하고 있다. 기존에 소유를 목적으로 했다면 지금은 공유를 중심으로 판단한다.

이미 제품을 소유하기 보다 필요한 때에 손쉽게 이용하길 원하는 형태에

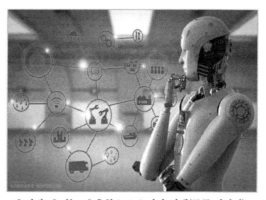

초연결, 초지능, 초융합으로 소비자 지배(구글 이미지)

맞게 다양한 사업들이 만들어지고 있다.

예를 들자면, **호텔과 같은 숙박 장소를 소유하지 않은 에어비앤비 (Airbnb), 택시를 소유하지 않은 우버(Uber), 콘텐츠를 만들지 않는 페이**

스북(Facebook) 등의 기업들이 공유 형태 사업을 본격화했으며, 이들은 이미 시장을 지배하고 있다. 또한, 자신에게 맞추어서 만들어진 제품을 '나만의 방식'으로 이용하고자 한다. 즉, 제품 자체보다 제품이 제공하는 본질적 가치를 더 중시하는 것이다.

4차 산업혁명 시대는 상상하고 연결하고 인공지능으로 무장하여, 개개인의 고객을 만족하는 기업과 산업 그리고 정부가 일류 도약의 '기회의 창'을 잡을 것이다.

4차 산업혁명은 변화의 속도 측면에서 20세기말 기술변화와는 비교가 불가능할 정도로 빠르게 진행되고 있다. 인공지능과 인간을 대체해 가는 로봇의 급부상, 공유경제와 최첨단 디지털 기술 등이 사회, 경제적 구조의 거대한 파도를 만들어 내고 있다.

4차 산업혁명 속 식(食)산업의 대변신

푸드테크(FoodTech)

Preference

세계적으로 4차 산업혁명은 사회의 모든 분야에서 주요 화두가 되고 있으며, 코로나19 엔데믹(풍토병화) 이후 더욱 급속히 변화를 초래하고 있다. 이러한 4차 산업혁명은 AI, 빅데이터, 사물인터넷, 가상현실, 메타버스 등의 형태로 사회에 많은 변화가 일어나게 만들었으며, 의식주(衣食住) 안에 식(食)의 문화에서도 예외적이지 않고 다양한 형태로 나타나고 있다.

음식(Food)과 기술(Technology)의 만남을 통한 푸드테크(FoodTech) 라는 산업으로 만들어지게 된 것이다.

물론, 과거에도 음식과 관련된 기술은 많이 존재하고 만들어졌지만, 데이터와 첨단기술을 기반으로 만들어진 것이 아니라 경험을 통한 발명으로 시작된 것이었다. 이런 진화의 추세는 다양한 매체를 통해서도 수년 전부터 보여주고 있다.

특히, 사회가 선진화되면서 **식사는 단순히 배고픔을 해결하는 대상을 넘어, 즐기면서 행복하게 만드는 대상으로 변화**하면서 다양한 매체에서 본격적으로 프로그램으로 만들어지고 있다.

언제부터인가 먹방과 쿡방이 유행하더니 최근 들어서는 여행과 다양한 장소(맛집, 무인도)를 활용한 프로그램이 활성화되고 있고, 더 나아가서 기술이 접목된 새로운 프로그램이 선 보이기 시작한 것이다.

유튜브, 틱톡 등 SNS에서 이미 다양한 형태로 활성화되고 있으며, 지상파, 종편, 케이블에서도 먹방, 쿡방과 같이 푸드테크 관련 음식 프로그램도 다수가 선보이고 있다.

푸드테크의 영역은 음식 원료의 생산에서 가공, 유통, 판매, 소비에 이르는 전 밸류체인(Value Chain)에 걸쳐서 만들어진다.

농산물, 축산물과 같은 가장 기본적인 1차 산업에서부터 최종 소비자에게 전달되는 배달시장까지 푸드테크는 타 산업영역보다 매우 폭넓게 펼쳐져 있다.

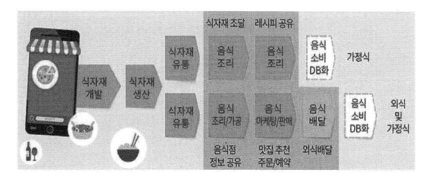

국내 활성화된 푸드테크 밸류체인(LG경제연구원)

기본적 형태는 **다양한 정보통신기술 기반과 사물인터넷을 통해 데이터를 수집하고, 클라우드에 저장된 빅데이터를 분석하여 다양한 전자통신기기 등에 서비스를 제공**하는 것을 기본으로 한다.

사물인터넷, 빅데이터, 인공지능, 5G 등의 새로운 기술을 바탕으로 각기 다른 서비스를 유기적으로 연결하는 초연결과 초지능을 통해 서로 다른 다양한 사업부문이 상호 간 융합과 시너지를 기반으로 새로운 서비스가 가능하게 만들었다.

추가적으로 **첨단 제조 R&D 기반으로 한 대체육 및 배양육 등과 로봇공학도 푸드테크 영역에 포함**한다.

이러한 푸드테크는 전세계 식품산업과 연계된 시장으로 향후 폭발적으로 증가할 것으로 보인다.

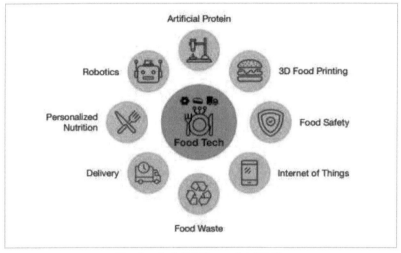

푸드테크의 영역(삼일PwC경영연구원)

한국식품연감에 의하면 **세계 식품시장 규모는 2024년 예상이 9.8조 달러로 우리나라 원화로 1경 3,500조 원**이 넘는다. 국내 식품시장만 보더라도 식품산업통계정보 기준으로 **2022년 347조 원**에 이른다.

이렇게 식품시장은 우리가 너무나 잘 알고 있는 자동차의 세계 시장규모보다도 5배가 크며, 세계 IT시장규모 대비는 4배에 이른다. 따라서, 이와 연계된 미래 푸드테크 시장은 황금알을 낳는 상상초월의 시장으로 성장할 것이다.

한국농수산식품공사 자료에 의하면 **2025년에 약 3,600억 달러로 한화로 약 500조 규모**에 달한다고 예측했다.

글로벌 기업인 미국의 마이크로소프트, 구글 그리고 중국의 알리바바, 일본의 소프트뱅크와 같은 세계적인 기업들이 푸드테크 스타트업에 적극적으로 투자를 하고 있는 이유이다.

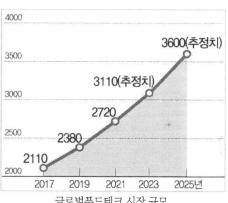

글로벌푸드테크 시장 규모
(단위: 억 달러 / 아시아경제)

이들은 식(食)과 기술이 융합된 푸드테크가 미래에는 엄청난 시장을 창출할 것이라는 예상 속에서 선제적 투자를 진행하고 있다.

2장. 역사 속 푸드테크(FoodTech)

기술이 음식에 접목되다.

보관기술의 시작

Preference

푸드테크는 4차 산업혁명으로 인해 본격화되고 있다. 다만, 역사 속에서도 푸드테크는 존재한다. 물론 이론적 바탕과 데이터를 기반으로 한 것은 아니지만, 음식에 기술이 접목된 발견으로, 어떻게 보면 시작점으로 볼 수 있다.

그 첫 번째가 불이다. **인간은 불을 발견하고 활용함으로써 요리를 통한 음식을 만들기 시작하였다.**

요리에 사용된 불은 병을 일으키는 미생물과 병원체를 죽임으로써 음식을 더 안전하게 보관

불의 발견과 요리의 시작(텔아비브대학교)

및 먹을 수 있게 만들어 주었다.

신석기시대가 시작되고 **농업혁명**이 일어나면서 많은 변화가 추가적으로 발생했다.

인간은 수렵을 통한 방랑 생활은 멈추고 한 곳에 정착하여 마을을 이루기 시작한 것이다. 그리고 **농경시대에 접어들면서 대량의 계획적인 식량생산**이 가능해졌다. 이로 인해 잉여 식량이 생기게 되었고, 이 잉여 식량은 금방 상하게 되므로 상하지 않게 오래 보존할 수 있게 **저장기술이 발달**하게 된 것이다.

참고로 하버드대 교수인 가이크로스비 'Cook, Taste, Learn'을 인용하면

이런 기술 발전으로 지구상의 인구는 5,000~7,000년 사이에 300만 명에서 1억 명으로 폭발적으로 증가했다. 영구정착은 인간에게 안전을 보장했고 아이 낳을 시간을 늘려 주었다.

또한, 동식물의 순화를 통해 고기와 유제품이 안정적으로 공급되기 시작하자, 인간은 더 많은 에너지와 더 좋은 영양분을 얻을 수 있었다.

우리나라도 과거 문헌을 참고해 보면 식품저장 기술이 꽤 오래전부터 있었던 것으로 나온다. 한국민족문화대백과사전의 식품보관법 내용을 보면

우리나라 식품 저장의 역사는 충청남도 부여의 저장혈(貯藏穴)이나 '삼국지' 위지(魏志) 고구려전(高句麗傳)에 곡물창고가 있었다는 구절과 장양(藏釀)을 잘

했다는 구절로 미루어 보아 매우 오래된 것을 알 수 있다.

'삼국유사'에는 진표율사(眞表律師)가 쌀 스무 말을 쪄서 말려 양식으로 삼았다는 기록이 있어 가공저장법도 있었음을 시사하고 있다.'삼국사기' 신문왕 폐백품목에는 포(脯)가 기록되어 있어 육류나 어류를 건조하는 방법이 있었음을 나타내고 있다. 또한, '고려도경 高麗圖經'에는 가마니를 이용한 쌀 저장법과 밤 저장법, 말린 면(麵)의 이용 등이 기록되어 있다.

이 **저장기술 중 가장 오래된 것이 건조법과 염장법**이다.

특히, 건조법은 불이나 햇볕에 말려서 건조할 수 있으므로 저장기술 중에서 가장 역사가 오래된 것으로 예측된다.

생명체는 비교적 수분 함량이 높으므로 건조해 수분을 제거하면 식품의 보존성을 높일 수 있다. 식품의 건조는 수분을 제거하여 미생물이 자라지 못하게 만드는 방법이다. 세포 내 효소의 불필요한 반응을 막아 식품의 변질을 막는 것이다.

예를 들면 과일의 경우 곶감, 대추, 망고 등이 있고, 수산물은 오징어, 조기, 명태, 새우 등이 있다. 축산물에서도 고기를 곱게 두드려 기름, 장, 후추 등을 바른 후 햇볕에 말린 염포, 편포 및 약포 등이 건조식품의 좋은 예이다.

저장기술 중 가장 대표적인 것은 염장법이다.

염장법은 기원전부터 음식에 적용된 과학으로 문명의 발전과 새로운 음식을 창출하는데 기여했다. 육류, 생선, 계란, 채소 등 곰팡이로부터 부패하기 쉬운 식품을 소금으로 보존함으로써 인류는 저장 기간을 상당히 늘릴 수 있었으며 풍미와 맛을 유지하는데도 크게 기여했다.

소금의 삼투작용에 의해 식품이 탈수되어 세균이 생육하는 데 필요한 수분이 감소되고, 식품에 붙어 있던 세균도 삼투에 의해 원형질 분리가 일어나 미생물의 생육이 억제되는 원리를 이용한 저장법이다.

좀 더 자세히 보자면, 사람의 세포 내 용질의 농도는 약 0.9% 수준이다. 세포를 이 보다 높은 농도의 소금물 등에 담가두면 막을 통해 물이 빠져나온다.

물의 이동은 항상 농도가 낮은 쪽에서 높은 쪽으로 향한다. 세포내부의 물은 줄게 되고 세포질의 용질농도는 차츰 높아진다. 물의 이동은 내외의 농도가 평행이 될 때까지 진행된다.

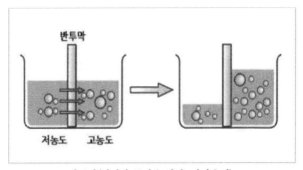

삼투압(열려라 즐거운 화학, 서정우님)

일정시간 지나면 세포내부의 물이 빠져나와 세포는 위축된다. 즉, 내부의 용질농도는 0.9% 이상으로 증가한다. 이런 상태에서 생명체는 활동을 멈춘다.

배추를 소금물에 절이는 현상과 같다. 숨이 죽은 배추를 다시 맹물에 담그면 반대현상이 일어난다.

미생물도 마찬가지다. 소금물에서는 내부의 물이 빠져나와 세포는 쪼글쪼글하게 위축된다. 내부의 농도는 진해진다. 이때 미생물이 죽지는 않지만 생육이 저지된다. 부패를 막는 원리이다.

이런 식품으로 채소류로는 오이지·무짠지 등의 장아찌류가 있다. 김치도 소금에 절인 채소류를 섭취한 데서 발전되어 현재의 김치가 만들어졌다. 새우젓·멸치젓·조개젓·게젓 등의 젓갈류가 있고, 육류에서는 대표적인 것이 이탈리아의 살라미가 있다. 어류 및 물고기알 등에는 소금을 첨가하여 만든 저장식품으로는 자반, 홍어, 명란젓 등이 있다.

우연히 보관기술로 발견된 식품!

살라미/치즈/김치/홍어

Preference

옛날에는 다양한 과학적 원리를 이해하지 못한 채, 다양한 경험을 바탕으로 새로운 것에 도전하여 성공과 실패를 반복했다. 이런 과정 중 우연히 음식을 보존하는 수준을 넘어 새로운 맛이 깃든 음식이 창조되기도 했다. 특히, **염장법과 발효를 통해 발견된 식품**들이 많다.

해외에는 **이탈리아 살라미와 보관방법 상 시행착오를 통해 우유를 발효시켜 만든 치즈가** 있다. 우리나라에서는 **김치, 젓갈류, 홍어** 등이 있다.

살라미는 전 세계에서 즐겨 먹는 염장건조 방식의 이탈리

살라미(나무위키)

아식 소시지이다.

5세기경 **켈트족**의 영향으로 **로마제국**에 보급된 돼지고기 염장법이 그 기원이라고 한다. 물론, 고기를 염장하여 보관하는 기술 자체는 로마 제국보다 훨씬 이전인 **선사시대부터** 존재했다.

소금의 비율이 높은 대표적 염장식품으로, 다른 소시지와 비교해도 짠맛이 유독 두드러진다.

치즈는 보관방법에서 파생된 가장 중요한 식품이다.

소, 양, 염소와 같은 포유류의 젖을 발효시켜 만든 식품이다. 인류가 치즈를 만들어 먹었던 기원과 누구에 의해 발견되었는지는 정확하지는 않으나, 과거 유적을 보면 어느 정도 기원을 추정할 수가 있다. 치즈의 역사는 선사 시대부터 시작되었던 것으로 보인다.

학계에서는 인류가 집단생활을 시작하며 소, 양, 염소와 같은 동물들을 가축화하는 단계에서 치즈를 만드는 방법을 알아냈을 것이라고 추정하고 있다.

유적으로는 기원전 6000년 경의 메소포타미아 지역의 우유 가공 기록과 기원전 3000년 경의 스위스의 치즈 가공 기록 벽화를 통해 내용들을 뒷받침하고 있다.

고대전설에 의하면 최초의 치즈는 척박한 환경에서 살던 유목민들이 키우던 양과 염소 등의 젖을 동물 가죽이나 양의 위를 가지고 만든 주머니에 담아 시장에 내다 팔았다.

어느 날 한 상인이 젖을 잔에 따르려 는데 윗부분이 덩어리 진 채 말랑말랑해져 있었다. 낙타에 젖을 싣고 시장에 가는 동안 뜨거운 사막의 열기가 젖을 응고시킨 것이다.

이것이 치즈의 기원이 자, '커드'라고 불리는 덩어리다. 상한 줄 알고 내다 버리던 커드의 숨은 감칠맛이 알려지며 치즈가 탄생했다.

우리나라에는 임실치

치즈의 분류(프로마쥬 www.fromage.co.kr)

즈앤식품연구소 자료에 의하면, 국내 치즈산업의 시작을 알 수 있다.

1964년 벨기에인 디디에 세스테반스(한국명:지정환)신부가 임실성당 주임신부로 오시면서 시작한다. 당시 임실군수께서 지정환 신부에게 "임실군민에게 뭔가 하나쯤은 꼭 남겨줄 수 있는 일을 해달라"는 말씀에 주민의 소득증대를 위하여 할 수 있는 일을 찾던 중 야산에 풀이 넘쳐나는 것을 보물로 알고 주민들이 여가 시간을 이용하여 산양을 키워 산양유를 생산하기로 하였다. 평소 알고 지내던 다른 성당의 신부로부터 얻어온 산양 두 마리로 시작하기로 하였는데 점차 산양을 늘려가면서 산양유를 짜서 판매하였으나 판매가 부진하자 남은 산양유로 치즈를 만들기 시작한 것이 우리나라 치즈의 시초가 되었다. 벨기에를 떠나오면서 무심코 챙겨 온 응고제와 산양유를 섞은 후 수분을 제거하고 남은 고형물을 시장에서 구입한 빨래 비눗갑에 담아 굳혀서 만든 최초의 치즈. 임실치즈는 이렇게 시작된 것이다.

과거 임실치즈 제작과정(임실치즈앤식품연구소)

우리나라는 **대표적 염장법과 보관기술로 파생된 음식으로 김치가 있다.** 김치의 기원은 절임채소에서 변형된 음식이다.

인류는 오래전부터 채소를 장기 보관해 두고 필요할 때 먹고자 부패를 막는 효과가 큰 소금에 절여 두었다. 이러한 특별한 기술이 필요하지 않고 단순히 채소를 절이는 것을 원시형 절임채소라고 한다. 대표적인 음식이 중국의 파오차이, 서양의 피클과 사우어크라우트가 있다.

중국은 지금부터 약 3,000여 년 전 생활상에 적은 '시경' 속 내용을 통해 김치가 중국에서 시작되었다고 주장하고 있다. '시경'엔 '밭 안에 오이가 있으니 이

것을 벗겨 저(菹)를 만들어 조상(祖)께 바친다(獻)'는 내용이 있다. 저(菹)는 소금에 절여서 오랜 시간 저장해 먹기 위해서 만들어진 원시형 채소절임에 해당한다.

그러나 김치는 소금과 장, 그리고 다양한 혼합된 양념을 사용하는 독창성 있는 음식이다. 또한, 2차 생채 침체란 제조과정을 거쳐 완성된 것으로 발효가 된 후에 맛이 다양하게 변화를 일으킨다.

김치는 삼국시대 시작되어 제조방법이 지속적으로 변천되어왔다. 고추가 우리나라에 도입되기 전까지는 무를 주원료로 한 동치미, 짠지, 장아찌가 주를 이루었을 것이다. 오늘날과 같은 통배추와 고춧가루를 주원료로 한 김치모양은 조선시대 중반 이후에 배추와 고추가 우리나라에 들어오면서 보급되었다.

우리나라에는 보관상의 잘못으로 발생한 대표적인 음식인 **홍어**가 있다.

과거 홍어는 전라도 흑산도에서 많이 잡히는 어종이다. 홍어는 발효가 되면 냄새가 고약한 생선이다. 그런데 이 냄새는 홍어 피부에 쌓인 노폐물이 암모니아 발효가 되기 때문에 생겨난 것이다.

남도일보 최혁 주필의 전라도 역사이야기를 들여다보면 역사적으로 삭힌 홍어 탄생은 고려시대로 거슬러 올라간다. **고려 때 왜구는 경상도에서 전라도 일대 해안가 및 인근 내륙까지 쳐들어와 노략질을 했다.** 특히, 섬 지역은 무방비 상태였다. 왜구가 나타나면 그대로 죽임을 당하는 수밖에 없었다.

그래서 고려조정은 섬에 살고 있던 주민들을 모두 뭍으로 강제 이주시켰다. 이를 쇄환정책(刷還政策)이라 한다. '신증동국여지승람' 에는 '고려 말기 왜구의 침탈로부터 섬 주민을 보호하기 위해서 섬 주민을 육지로 이주시켰다'는 기록이 등장한다.

이로 인해 흑산도 사람들은 모두 내륙으로 강제 이주 당했다. 이들은 서해안 바다로 이어지는 영산강을 거슬러 올라와 지금의 나주 근처 강변에 터전을 잡았다. 그곳이 지금의 영산포이다.

그리고 영산강과 바닷길을 되짚어 흑산도 근처까지 다시 나가 고기잡이를 한 뒤 영산강으로 돌아오곤 했다. (1972년부터 시작된 영산강지구 농업종합개발사업

영산포 과거 사진(남도일보)

으로 댐이 만들어지면서 현재는 추억으로 남아있다.)

그런데 영산포 사람들이 흑산도 일대에서 홍어를 잡아 영산포로 돌아오는 보름정도의 기간에 이 암모니아 진득한 홍어가 자연발효가 된 것이다. 다른 생선들은 상해서 먹지를 못하는데, 홍어만은 먹을 수 있었다. **홍어는 암모니아 발효로 균들을 죽이는 것이다. 대개 동물들은 노폐물을 오줌으로 내보내는데 홍어만 피부로** 내보낸다.

그래서 홍어 피부에는 암모니아가 주성분인 노폐물이 가득했다. 따라서

보름 정도 기간이 지나도 완전히 썩지 않고 적당히 발효된 상태를 유지할 수 있다. 어부들이 흑산도에서 잡아온 홍어를 꺼내 먹어보니 약간의 썩은 냄새와 톡 쏘는 맛이 비위에 거슬리기는 했지만, 이게 별미였다.

이와 같이 다양한 음식이 경험을 통해 우연히 발견되었고, 이러한 경험이 시간이 지나면서 과학적 원리를 알게 되면서 이를 바탕으로 다양한 식품산업 발전에 기여하게 된다.

전쟁 속 발명된 보관기술의 혁명

통조림

Preference

역사 속에서 전쟁은 기술 발전의 주요 원동력이었다.

무기와 군사 장비의 필요성은 신기술의 발명과 혁신에 박차를 가했으며, 이는 일류문명의 발전에도 크나큰 영향을 미쳤다. **음식에서도 전쟁은 파격적 혁신을 창조**했다. **통조림이 그 대표적인 산물**이다.

앞에서 설명했듯이 인류는 상당기간 건조나 염장기술을 통해 음식을 보관해 왔다. 하지만, 이런 보존법은 18세기말에 이르자 한계에 부딪힌다. 장기간 지속성과 식품안전의 한계에 노출되었고, 맛과 풍미를 유지하기에는 어려움이 있어 전쟁통에 군인들의 건강과 사기를 이끌어 가기가 쉽지 않았다.

이런 환경 속에서 경험으로 발견한 최대의 보존기술인 통조림이 1804년에 개발되었다. 처음에는 병을 사용하여 만들어진 병조림이었다.

통조림은 기존의 보관 방식과는 차원이 다르게 신선함을 유지하면서도 유통기간을 극대화했다. **음식 본연의 풍미와 식감을 살리면서도 오래 저장할 수 있어 식품 보관의 혁명**이자 창조적 파괴였다.

1795년 프랑스의 군인이자 황제인 나폴레옹 1세는 유럽 곳곳에서 전쟁을 치르느라 식량 보급에 어려움을 겪는다. 또한, 장기간 전쟁에 참여한 병사들은 신선한 음식 부족으로 괴혈병 등의 질병에 시달리고 있었다.

운반시설과 보관기술이 발달되지 않은 과거에는 전쟁 중에 병사들을 잘 먹이고 체력을 유지시켜 주는 것이 전쟁의 승패를 갈랐다.

이런 문제를 극복하기 위해 나폴레옹은 전투 식량에 도움이 되는 음식을 상하지 않고 오래 보관하는 방법을 개발하는 사람에게 1만 2,000프랑의 상금을 주겠다고 공표한다.

1804년 프랑스의 작은 마을 제과점을 운영하던 니콜라 아페르가 이에 도전장을 던진다. 그는 샴페인 유리병에 잘게 썬 양배추, 당근 등의 채소를 담고 코르크 마개를 느슨하게

나폴레옹과 병조림(MBC)

막은 뒤 끓는 물에 30~60분간 가열했다.

마지막으로 뜨거울 때 코르크 마개를 촛농으로 밀봉하였다. 이를 통해서 와인 병 안의 음식이 20일이 지나도 상하지 않는 놀라운 발견을 이끌어 낸

다.

1803년 채소, 과일, 고기, 생선, 유제품 등 필수 식품의 병조림이 프랑스 해군과 함께 시험 항해에 나서기 시작했다. 병조림을 본 나폴레옹은 음식의 저장 기간을 늘려주는 전투 식량으로 적합하다고 판단했다. 취사에 필요한 시간을 절약했고, 식량의 보급체계를 단순화함으로 부대의 행군 속도를 엄청 빠르게 만들었다.

또한, 병조림은 인류 식생활 개선에도 큰 영향을 미쳤다. 하지만, 무겁고 깨지기 쉽다는 단점 때문에 그렇게 오래가지는 못했다.

현재의 통조림은 영국에서 본격적으로 발전했다.

1810년에 프랑스인인 필립 드 기라르가 통조림의 원천 기술을 개발한 다. 우리가 오늘날 알고 있듯 깡통에 음식을 담아 밀봉하는 바로 그 보존법이었다.

최초의 통조림과 개발자(위키미디아)

기라르는 영국으로 건너가 피터 듀란드와 병조림대신 세계 최초로 양철 통조림을 개발하고 특허를 등록한다. 하지만, 본격적인 상업화는 시도하지 않고 특허를 브라이언 돈킨과 존 홀에게 판다.

그리하여 1812년 템스강 우측 버몬드 지구에 돈킨과 홀 두 사람이 세계 최초의 통조림 공장이 문을 열었다. 이렇게 발명된 통조림은 현재까지도 다양한 식품에 활용되고 있는 기술이 접목된 최고의 발명품이다.

상온제품을 몇 년 동안이나 보관할 수 있게 해 주므로 다양한 식품이 만들어진 것뿐만 아니라, **전 세계의 음식이 다양한 국가로 전파될 수 있는 중요한 계기**가 되었다.

3장. 외식산업 속 푸드테크(FoodTech)

생존을 위한 외식업의 창조적 파괴

디지털 전환에 대응한 외식업의 넥스트 노멀

Preference

외식산업은 코로나19 이전부터 최악의 불황을 겪고 있었다.

경기침체에 따른 **가정의 외식소비 및 기업체의 회식문화 축소로 매출은 급감하였고, 개인 워라밸(Work-life balance) 중심 정책**에 따른 법적 근무시간 축소와 최저임금 인상으로 제조원가 상승이 가파르게 증가되었다.

또한, 1인가구 증가 등의 인구구조와 MZ세대의 소비패턴의 변화는 더욱 식당 내에서의 외식 소비를 악화시켰다. 이에 더불어 코로나19 발생은 외식업 경기를 최악의 상황으로 빠지게 만들었다.

2020년 말 겨울철부터는 코로나바이러스가 더욱 기승을 부려 외식업에 종사하는 모든 사람에게 고통을 주었다. 추가로 정부의 영업시간제한과 다수인원의 집합금지는 더욱 심각한 매출 타격을 주었다.

한국은행의 '2020년 국민계정' 통계에 따르면 2020년 숙박 및 음식점업의 실질 성장률은 -16.6%로 나타났다. 관련된 통계를 작성한 1970년 이후 최악의 성장률이었다. 심지어 IMF 금융위기를 겪던 1998년 -10.9%의 역 신장 보다도 나쁜 성장률이다.

엔데믹 이후에도 잠시 보복소비 심리 속에 외식이 활성화되는 듯했으나, 너무 많은 자금 유동성으로 인플레이션이 전 세계적으로 발생했다. 이를 완화하기 위해 정부는 금리 인상을 지속적으로 단행하였고, 이는 내수 경기침체와 소비축소를 유발했다.

외식산업경기동향지수 추이를 보더라도 2024년 2분기 기준 현재 지수가 75.6으로 매우 낮은 수준을 보이고 있으며, 3분기 전망지수도 83.12로 2분기 87.34보다도 더 암울한 수준을 나타내고 있다.

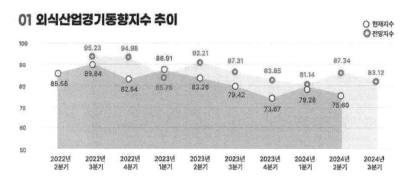

외식산업경기동향지수 추이(aT한국식품농수식품유통공사)

이러한 악화되는 환경 속에서 외식산업은 절대적 생존을 위해 단순히 마른 수건을 쥐어짜는 수준의 변화가 아니라, 파격적 사업모델을 바꾸는 패러다임 전환을 만들어내지 않으면 극복이 어려운 상황이다.

이는 국가 차원에서도 내수 활성화에 매우 큰 위기로 작용할 것이다. 왜냐하면 **국내 외식산업은 연간 매출액 규모가 약 103조 원(2023년 기준)으로 국내총생산(GDP)의 약 5%를 차지**하는 만큼 국내 경제에 영향도가 매우 높다.

이러한 기조 하에 최근의 외식산업은 이런 환경 변화의 돌파구를 찾고자 과감한 변화를 추진하고 있다. 경제학자 조셉 슘페터가 언급한 **창조적 파괴(Creative destruction)**, 즉 '기술혁신'으로써 낡은 것을 파괴 및 도태시키고 새로운 것을 창조하고 변혁을 일으키는 과정으로 현 문제점을 타계하고 미래 성장의 원동력으로 혁신을 일으키는 것이다.

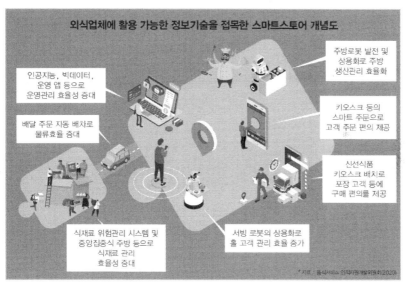

외식업체 활용 가능한 스마트스토어(음식서비스 인적자원개발위원회)

따라서, 이런 어려운 환경 속에서 진정한 승자로 거듭나기 위해서는 외식업에도 4차 산업에 맞는 기술력을 도입시켜 경쟁력 확보와 트렌드에 기반한 성공의 발판을 만들어야 한다. 또한, 코로나19 이후로 더 가속화된 **디지털 전환에 대응할 수 있는 넥스트 노멀(Next Normal) 시대**를 만들어 가야 한다.

첫 번째로 '**외식공간**' 확대에 대한 대응이다. 코로나19 이후 외식공간은 매우 빠른 속도로 오프라인 매장중심에서 온라인으로 확대됐다. 물리적 공간의 개념이 사라지고 e-커머스, 홈쇼핑, 편의점, 공유주방 등의 새로운 외식공간으로 자리 잡아가고 있다.

두 번째로는 '**외식상품**'의 변화다. 기존에는 완성된 음식이 주였다면 최근에는 HMR(Home Meal Replacement), 밀키트, CK(Central Kitchen) 등 제품의 형태가 다양해지고 1인, 소분 등 스몰포션 상품이 확대되고 있다.

세 번째로는 '**제공방식**'이 달라졌다. 대면 서비스가 줄고 배달, 포장, 키오스크 등을 활용한 비대면 서비스가 활발해졌다.

마지막으로 '**인력운용**'에 있어서는 사람 대신 인공지능 기반의 셰프로봇, 서빙로봇 등이 정보통신 기술을 접목하여 새로운 기계의 발달로 나타나고 있다.

이처럼 넥스트 노멀시대의 외식산업은 이전과는 확연히 다를 것이다. 무서운 속도로 빠르게 변화하고 있으며, 앞으로 어떤 변화와 위기를 겪을지 모르는 불확실한 환경은 더욱 커지고 있다.

이에 대처하기 위해서는 현실을 직시하고 변화에 민감하게 반응해 시기 적절한 선제적 대응책이 반드시 필요하다.

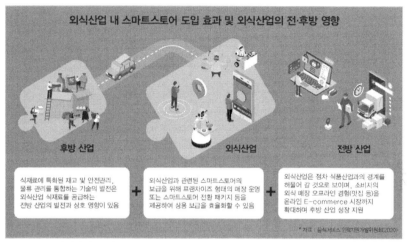

외식산업 스마트스토어 도입 효과(음식서비스 인적자원개발위원회)

더불어, **K푸드와 연계한 성공된 4차산업 기술을 통해 글로벌 기업으로 확장**도 국가차원에서 절대적으로 필요하다.

식당/급식에서 사라지고 있는 주방

조리 과정에 혁신의 푸드테크

Preference

외식업(식당/급식소)을 운영하면 크게 3단계의 과정을 거친다.

맛있는 음식을 만들기 위한 조리과정이 첫 단계이다. 두 번째는 이렇게 조리되어 만들어진 음식이 고객에게 전달되는 서빙 또는 배식단계를 거친다. 마지막으로 고객이 다 먹은 음식 그릇 및 식판을 설거지하는 세척단계로 마무리가 된다.

대형식당/급식소 주방에서 운영되는 조리, 서빙/배식, 세척 3단계(식품의약품안전청)

외식업을 함에 있어 이런 각각의 과정별 혁신이 앞으로의 미래를 여는 시발점이라 생각된다.

앞에 생존을 위한 외식업의 창조적 파괴에서 언급한 바와 같이, 현재 외식산업 환경은 무서운 속도로 빠르게 변화하고 있다. 앞으로도 어떤 변화와 위기를 겪을지 모르는 불확실한 환경이 더욱 커지고 있다.

따라서 4차 산업혁명에 맞는 푸드테크 도입을 본격화하므로 미래의 불확실성을 대처하고 환경변화에 선제적 혁신이 필수적이다. 그렇다면 외식산업에 있어 선제적 혁신이 무엇인지 좀 더 알아보도록 하겠다.

첫 번째 **외식업의 가장 핵심인 조리과정에서 혁신의 푸드테크**를 알아보겠다.

일반 가정에서는 다양한 인구통계학적 그리고 편리성을 추구하는 트렌드에 맞게 이미 10여 년 전부터 본격적으로 HMR상품이 확대되기 시작했다. 레토르트 형태의 1세대 HMR과 반찬중심 HMR인 2세대를 지나서 고급화와 다양성이 포함된 3세대 HMR이 완성되고 있는 수준이다.

이러한 변화가 B2B경로인 외식산업에도 접목되기 시작했다.

최근 **식당의 인건비 증가 및 구인난의 어려움을 해결하기 위해 간편 조리형(B2B형 HMR) 상품이 접목되고 있고, 대형 식당 및 급식소에서는 센트럴 키친(Central Kitchen)를 통한 중앙조리방식**으로 빠르게 진화하고 있는 것이다.

국내는 최근 들어 간편 조리형 제품이 식당에 도입되고 있으나, 이웃나라 일본에서는 생산가능인구 감소 및 고령화 등의 심각성으로 이미 프랜차이즈와 개별식당 등에서 많이 활성화되어 있다.

사례를 보자면 음식의 맛이 핵심이 아닌 야끼토리(야끼焼き:굽다+토리鳥:닭으로 구운 닭) 술집뿐만 아니라, 규동 덮밥과 같이 맛이 최우선인 매장까지도 확대되어 있다. 일본의 요시노야 규동덮

일본 요시노야(식품외식경제)

밥 식당은 오래전부터 간편 조리형 재료를 사용하고 있었다.

심지어 덮밥 집인 데도 불구하고, 화구와 가스 자체가 없다. **오직 전자레인지와 전기밥솥**으로만 음식이 만들어진다.

또한, 최근에는 협동로봇으로, 사람과 같은 공간에 설치하여 인간과 협동 작업이 가능한 산업용 로봇이란 개념을 앞세워 식기 세척, 정리 작업 등에 로봇을 도입했다.

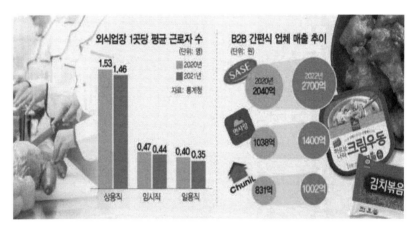

외식업의 인당 생산성 변화(서울경제)

국내는 얼마 전 까지만 해도 음식점에서 간편 조리형 재료를 쓴다는 것은 고객층의 불만과 불신을 만드는 요소라 생각하여 거의 사용되지 않았다. 하지만, 생존을 위한 효율성과 다양성 확보 차원에서 변화가 발생하고 있다.

대표적으로 프랜차이즈 체인은 과거에는 소스 등 특정 상품만 중앙에서 생산한 전용 상품으로 공급했으나, 현재는 다양한 간편 조리형 반조리상품을 중앙에서 제공하므로 가맹점에서 인당 생산성을 강화하고 있다. 대형식당도 예외가 아니다.

피코크 송추가마골 RMR상품(식품외식경제)

단지 점포 내 식사 제공을 넘어 RMR(Restaurant Meal Replacement) 상품 개발을 통해 외식의 중식(내식과 외식의 중간 개념으로 손질이 완료된 재료를 사서 집에서 전자레인지나 불에 데우기만 하거나 가열하지 않고 바로 먹을 수 있는 즉석식품)화에도 적극 대응을 하고 있다.

참고로 일본은 2021년 기준 30.2조 엔의 외식시장 내 소자이(본래 식사의 반찬류를 뜻하는 일본어로 비교적 소비기한이 짧은 완조리식품인 소포장, 간편식을 이르는 용어) 분야가 매우 발달하여 약 30%를 차지하고 있다.

유명 맛집이나 유명 셰프의 음식을 오프라인 매장에 가야만 먹는 것이 아니라, 집에서도 맛집의 음식을 간편하게 먹을 수 있게 만든 것이다.

이런 변화는 B2C(Business to Consumer) 제조 및 유통업체에도 영향을 주고 있다. 기존의 B2C 소비자를 대상으로 제품을 만들었던 제조업체가 B2B(Business to Business)에 맞는 제품 개발을 통해 외식산업 환경변화에 대응하고 있는 것이다.

기존 **농축수산물 원물과 가공상품만 납품 받던 외식업체의 변화에 발맞추어 B2B향 간편 조리, 밀키트, B2B HMR 제조를 확대**하고 있다. 결론적으로 **외식업체에서 진행되었던 메뉴개발/식자재 구매/식자재 전처리/조리/세척을 간편 조리형 재료를 통해 식자재 구매/가열/세척으로 단순화**시키고 있다.

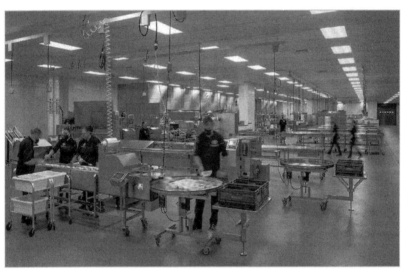

Central Kitchen(구글 이미지)

하루 수백 명에서 수천 명까지 식사를 제공하는 단체급식소에서도 이미상당 부분 중앙조리방식인 센트럴 키친(Central Kitchen)에서 사전 음식을 조리하는 시스템으로 전환되고 있다.

예를 들면 **학교, 산업체, 병원 등에서는 점포마다 급식을 만드는 것이 아니라, 센트럴 키친에서 조리된 것을 점포에 전달**하고 있다.

점포에서는 재가열이나 마무리 조리, 담을 뿐이다. 조리 범위는 완성 단계까지 조리하는 경우도 있고, 고기나 야채를 자르는 등 중간 단계에서 점포에 전달할 수도 있다.

센트럴 키친을 도입하면 큰 4가지 장점이 있다.

기존에는 각 점포에서 조리를 하므로 조리사의 역량에 따라 맛의 차이가 크게 날 수가 있으며 개인의 역량에 한정되므로 메뉴의 다양성 확보가 어려웠다. 하지만, 센트럴 키친 통합적 조리를 통하는 경우, **맛의 품질 안정성을 확보할 수 있으며 메뉴의 다양성도 각 점포에 전달**할 수가 있다.

실제 센트럴 키친을 확보하지 못한 단체급식 회사는 맛의 품질이 점포마다 다를 우려가 있고, 점포수가 늘어나면 늘어날수록 점포에 따라 맛이 바뀌면서 회사의 신뢰성에도 큰 영향을 주고 있다.

다음은 각 점포 조리에서는 점포마다 전문적으로 조리할 수 있는 인재와 다수의 조리원이 필요하지만, 센트럴 키친을 통할 시, **각 점포에서는 간단한 작업만 실시하므로 최소 인원의 조리사와 조리원만 투입되므로 인건비 절감의 큰 효과**가 있다.

더욱이 2017년 이후부터는 국내 생산가능인구 감소로 구인난이 매우 심각한 수준이다. 특히, 반도체단지 및 대규모 생산시설이 있는 곳에서는 주방에서 일하는 것을 기피하기에 더욱 인력 확보가 어려운 상황이다. 2024년 최저시급이 9,860원이지만, 이천/용인 등의 수도권은 수년 전부터 일용직 시급이 10,000원을 넘었다.

세 번째로는 **임대료와 전기료/수도세와 같은 유틸리티비용을 줄일** 수 있다.

각 점포에 조리 공간을 설치할 필요가 없기 때문에 공간 효율성을 확보할 수 있으며, 비교적 작은 공간이라도 홀 공간만 있으면 출점이 가능하다.

마지막으로 구매 비용 절감으로 이어진다.

센트럴 키친에서 **대량 발주를 할 수 있기 때문에 점포마다 구입하는 것에 비해 비용이 감소**할 수 있다. 또한, **점포 조리에서는 식재료의 관리 및 남는 식재료에 대한 손실 발생을 최소화**할 수 있다.

이러한 센트럴 키친은 이젠 기존 단체급식소를 넘어 최근에는 대형식당 체인과 반찬 프랜차이즈까지 영역이 확대되고 있다.

식당에 밀키트(밀솔루션)를 접목한 프레시지

사례로 보는 푸드테크(프레시지)

Preference

'식당/급식에서 사라지고 있는 주방'에서 설명한 바와 같이 B2B HMR을 통해 조리공정이 최소화되고 있다. 이런 변화는 주로 대형 프랜차이즈 본사(전용상품 개발을 통해 가맹점에 공급)가 주도하고 있다.

그런데 일반 소형 개인식당을 대상으로 환경변화에 대응하여 진화를 꾀하고 있는 창의적인 스타트업이 있었다. 바로 밀키트 전문업체 프레시지이다.

프레시지는 가정에만 활성화된 밀키트를 식당 주방으로 전이시키며 가장 선도적으로 퍼스트무버(First Mover) 역할을 만들어 간 것이다.

프레시지 로고(홈페이지)

식당에 밀솔루션(Meal Solution) 접목으로 **메뉴개발, 식재 구입과 조달,
식재료 전처리, 조리의 전 과정을 원스톱(One-Stop)으로 제공하여 점주
는 운영 관리에만 집중할 수 있는 모델**을 구축한 것이다.

(참고로 기존 B2C 사업의 수익성 악화와 다소 이른 B2B 사업 진출로 완
성형 비즈니스 모델 구축에는 실패한 것으로 보인다. 다만, 시대적 환경에
맞는 창의적 사업모델은 의미 있는 사례로 판단되며, 향후 해당 모델이 좀
더 정교화될 시, 미래 성공 가능성이 높은 사업으로 판단되어 내용을 정리
했다.)

프레시지는 2016년 1월 정중교 대표가 미국에서 새롭게 뜨고 있는 블루
에이프런(Blue Apron)의 벤치마킹을 통해 국내에 없는 밀키트(Meal-kit)
기반의 RTC(Ready To Cook) 영역을 창업한 것이다.

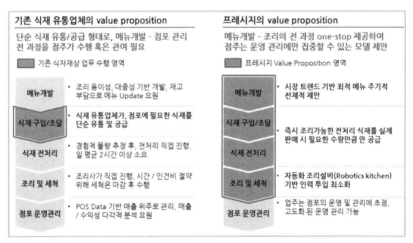

프레시지 B2B사업 모델(프레시지 사업소개서)

프레시지의 밀키트는 조리 직전 단계까지 손질을 마친 원물 식재료와 해

당하는 요리의 레시피가 담긴 레시피 카드로 구성되어 있다. 레시피 대로 따라 하기만 하면 음식물 쓰레기 하나 없이 맛, 영양, 비주얼을 모두 갖춘 파인다이닝을 10분 만에 완성할 수 있다.

프레시지를 통해 요리 초보도, 식재료 처리가 고민인 1인 가구도 전문 셰프로 변신할 수 있다. 여기에 식재료 밸류체인 구축과 유통 시스템 혁신으로 가격경쟁력을 갖춰 소비자들의 가성비를 극대화했다.

프레시지는 밀키트 B2C 사업을 변화의 바람이 불고 있는 음식점에도 도입을 시도했다. 식당에서 쉽게 조리 가능한 B2B용 밀키트를 개별식당과 프랜차이즈에 공급하는 사업을 추진한 것이다. 배달 중심으로 바뀌는 외식업 트렌드와 외식 자영업자의 예상치 못했던 환경 변화로 어려움에 직면한 것을 간파하고 외식형 비즈니스 모델을 구축한 것이다.

프레시지의 콘셉트는 소비자 입맛이 다양화되면서 새로운 메뉴 및 브랜드의 확대 필요성을 첫 번째로 보았고, 두 번째는 식당 매출과 수익성의 어려움을 극복하기 위해 공간 효율화와 생산성 극대화를 포인트로 잡았다.

이러한 콘셉트를 바탕으로 프레시지는 기존 점포 내 운영 현황을 반영한 모델을 개발하기 시작했다.

가장 현실적 접근을 위해 실제 외식점포 내 주방의 생산성을 확인 후, 여유 수용성을 바탕으로 사업 모델 설계를 했다.

일반적으로 대다수의 중소형 식당은 메뉴 특성에 따른 집중 주문 시간대가 상이하여 점포 내 운영 비효율성이 존재하고 있다.

이에 프레시지는 이러한 **주방의 수용성을 감안한 외식점주가 기존 메뉴를 운영하면서 동시에 배달 전용으로 운영 가능한 온라인 가상의 브랜드(Sub-brand)와 메뉴를 제공하는 사업 모델**을 전개한 것이다. 기존 판매 메뉴에서 추가한 메뉴를 통해 매출 확대와 손익 증대를 꾀하는 것이다.

점포 시간대 별 주방 가동 수준을 고려하여 판매 메뉴를 공급하므로 주방 내 과부하를 방지했다.

예를 들자면 저녁에는 치킨을 주 메뉴로 홀과 배달을 운영하고 점심 보조시간에는 육개장 또는 면 전문집으로 온라인상의 점포를 운영하는 것이다. 기 운영 중인 음식점의 주방 활용으로 **별도의 투자 없이 매출을 발생**할 수 있으므로 수익성을 극대화할 수

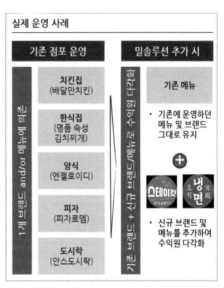

실제 식당의 운영 사례(프레시지 사업소개서)

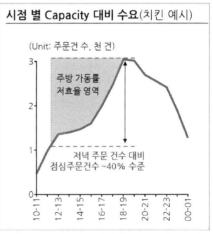

치킨집 시간대별 운영 현황
(프레시지 사업소개서)

있다.

또한, 점심 온라인 메뉴는 밀솔루션 기반 음식을 만드는 것이므로 **조리 공수를 최소화하여 추가적 인건비 발생 없이 기존 인력**을 통해 음식을 만들 수가 있다.

프레시지 밀솔루션의 강력한 특징 중 하나는 음식점에 단순히 **B2B용 밀키트만 공급하는 게 아니라 조리부터 배달, 광고까지 세밀한 매뉴얼을 통해 토탈 솔루션을 제공**하는 것이다. 온라인과 마케팅에 이해도가 낮은 업주분들에게 초기에 제대로 안착할 수 있는 최적의 시스템을 제공하는 것이다.

이렇게 브랜드, 제조, 유통, 운영을 통합하는 계열화 사업을 통해 궁극적으로는 식자재 유통으로 영역을 본격화할 계획이었다. 식자재유통시장까지 진입함으로써 잠재적으로 60조가 넘는 시장을 타깃으로 하려고 했다.

최종적으로 프레시지는 B2B 식자재유통 내 쿠팡과 같은 존재로 자리매김할 원대한 꿈을 가지고 있었다. 그래서 중장기적으로 '대한민국 식품산업 The most innovative solution provider'의 비전 하에 산지부터 외식산업까지 연결하는 통합 플랫폼 구축을 최종 목표로 잡은 것이다.

하지만, 현재상황을 보면 프레시지는 B2B 사업뿐만 아니라 B2C 사업까지도 자본시장에서 성공여부를 의문으로 보고 있다. 지속적인 적자구조와 부실한 전략 속에 시너지와 연계성이 낮은 기업의 M&A로 너무 쉽고 단기적 전략으로만 강하게 드라이브한 것이다. 위기가 심화되고 개선의 여지는 전혀 보이지 않을 정도로 안개 속을 걷고 있다.

B2B 경로에서 수십 년간 경험한 저자로서 많은 아쉬움이 남는다. 프레시지의 B2B 밀솔루션 모델은 시장 트렌드 캐칭(Trend Catching)을 통해 진정으로 창의적이며 미래지향적 비즈니스 모델이었다. 좀 더 세밀한 전략 방향 하에 프로세스를 정교화 했다면 분명히 성공 가능성이 높은 사업모델이다.

엉뚱한 생각을 해본다. "만약, 소비자와 식당의 니즈를 정확히 이해하고 있는 양방향 플랫폼인 배달의 민족이 이 사업을 추진했다면 어땠을까?"

공유경제 속 푸드테크 공유주방, 그러나...

공간에 실현되는 푸드테크(위쿡)

Preference

코로나19가 유행했던 몇 년 전에 음식 배달시장은 매우 활성화되었다. 이런 환경 속에서 소자본 창업이 가능하게 만든 공유주방 사업은 매우 빠르게 성장했었다.

그런데 엔데믹으로 접어들면서 배달 주문 감소, 외식업 경쟁 과열, 공유공간의 위생 문제 등으로 배달형 공유주방 사업은 더 이상 국내에서 성장은 불가능한 상태이고 현 수준을 유지하기도 어려운 상황이다.

이번 장에서는 국내 공유경제 속 공유주방이 왜 성공하지 못하고 실패의 길로 가는지에 대해서 들여다보겠다. 우선, 공유주방에 앞서 공유경제의 시작과 의미에 대해 알아보겠다.

2008년 글로벌 경제 위기가 초래되면서 사람들의 소비에 대한 인식이 변화하기 시작했다.

하버드대학의 로렌스 레식 교수가 필요한 물품을 서로 빌려주고 함께 쓰는 경제활동을 개념화한 공유경제 (Sharing Economy) 라는 새로운 소비 형태가 본격적으로 등장하기 시작한 것이다.

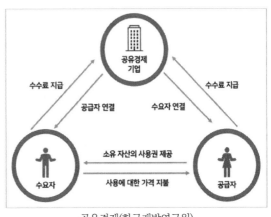

공유경제(한국개발연구원)

기존의 소비와 생산에 초점을 둔 상업경제와 달리 이미 생산된 재화를 공유하며 가치를 극대화하는 공유경제는 정보통신기술의 발전과 함께 생산, 창업 등의 분야에 폭넓게 확장되었다.

대표적 미국의 공유경제 스타트업인 우버와 에어비엔비가 대표적으로 존재한다. 이런 공유경제가 10년 전부터 주방으로 다가오기 시작했다.

클라우드 키친, 고스트 키친, 버추얼 키친 등 다양한 공유주방을 일컫는 용어들이 본격적으로 언급되기 시작한 것이다. 공유주방은 단지 시설뿐 아니라 각종 정보통신기술과 공유경제가 결합한 비즈니스 모델로 만들어졌다.

전 세계 공유주방 사업 시장은 공유경제 확대 및 배달시장의 급속한 신장, 전 세계 모바일 이용률 증가, 코로나19로 인한 안전에 대해 기대 증가

등으로 폭발적으로 성장했다.

국내는 우버 창업자 트래비스캘러닉이 한국에서 공유주방 사업을 추진하면서 본격적으로 인지하기 시작했다.

여기에 많은 식당을 창업한 자영업자들끼리 과열경쟁과 비용증가로 사업 실패와 더불어 개인의 가계 실패까지 이어지는 안타까운 현상이 발생하면서 공유주방에 대한 관심은 더욱 집중되기 시작했다.

예비 창업 자영업자들에게 초기 비용을 덜어주고 창업 이후에도 성공확률이 높은 사업 모델로 제시되었기 때문이다. 국내에서는 이러한 환경적 변화 및 트렌드를 읽고 최초로 공유주방 비즈니스를 도입한 회사가 심플프로젝트컴퍼니이다.

심플프로젝트컴퍼니는 김기웅대표가 2015년 서울 삼성동에 '위쿡'이란 브랜드로 첫 오픈을 했다.

심플프로젝트컴퍼니(위쿡 브랜드)

언론상에 인터뷰한 내용을 보면 김기웅대표는 증권사 파생상품 트레이더로 일본의 장기 불황 때 성공한 사업이 무엇이 있는지 집중 연구를 했다. 한국도 일본처럼 저성장 사회로 진입할 것이라 보고 선제적으로 연구를 진행한 것이다.

김대표는 그 당시 발견한 것이 집에서 간단하게 조리하여 먹을 수 있는

HMR, 도시락 등의 간편식 시장이었다. 그래서 2014년 3월 증권사를 그만두고 영동시장에 있는 도시락 배달 전문 음식점을 인수했다.

8평짜리 배달 전문 음식점이었다. 지점이 3개까지 확장할 정도로 성장했었다. 8평 남짓한 공간에서 월 매출이 3,000만 원~4,000만 원 정도 나왔었다. 그런데 매출은 천천히 증가하는데 비용 증가는 매우 커서 이익을 많이 내기 힘들다는 문제점에 직면했다. 또한, 판매가를 올리기도 쉽지가 않았다.

너무 많은 음식점들이 있어서 가격을 조금만 올려도 매출이 떨어지는 것이었다. 계속 동일한 형태로 운영한다면 살아남을 수 있는 구조가 아니었다. 선택의 갈림길에서 다양한 방법을 고민했다. 그러다가 공유주방 아이디어가 생각났다. 결국 이익을 높여 경쟁에서 이기려면 **여러 사업자들이 하나의 플랫폼에 모여 기업처럼 규모의 경제 효과**를 내야 한다는 결론이었다.

배달원을 직접 고용한다든가 비용을 들여 홍보 전단지를 각각 뿌린다든가, 그런 것들을 함께 합쳐서 했을 때 줄일 수 있는 비용의 요소를 찾은 것이다. 또 **평당 임대료도 평수가 커지면 커질수록 줄어들었고, 식재료도 공동 구매를 통해 협상 경쟁력을 확보**할 수가 있었다. 그래서 배달음식점을 모아놓은 형태의 위쿡이 탄생했다.

초기의 모델은 단순히 상업용 주방을 빌려주는 서비스 수준으로 시작되었다. 하지만, 처음 2년 이상은 공간만 임대하는 모델로 운영하다 보니 수익성 확보가 쉽지 않았다.

비즈니스 모델을 고도화하면서 단지 **공간만 공유하는 것이 아닌 유통, 마케팅, 온라인, 오프라인 영업을 포함하는 서비스로 확대** 추진했다.

　위쿡의 비즈니스 모델은 크게 공유주방 플랫폼과 플랫폼에서 이루어지는 푸드메이커 인큐베이션 및 관련 전후방 사업 지원으로 나눌 수 있다.

　공유주방은 식품 제조와 유통에 관한 각종 허가를 모두 해결해 주며 외식업 사업을 하는데 필요한 모든 자원을 제공한다. 운영 형태는 배달형 공유주방, 제조유통형 공유주방, 식당형 공유주방의 3가지 형태로 운영되었다.

공유주방 비즈니스 등장 배경(위쿡 사업소개서)

　배달형 공유주방은 한 공간에 즉석조리가 가능한 전용 주방을 여러 개 만들어 배달 위주의 사업자에게 임대하는 공유주방이다. **제조유통형 공유주방**은 식품 조리시설을 갖춘 1개의 주방을 복수의 사업자가 함께 사용하면서 식품을 제조와 생산해서 유통까지 하는 형태의 공유주방이다.

마지막으로 **식당형 공유주방**은 말 그대로 공유주방에 더해서 사람들이 음식을 먹을 수 있는 공간까지 빌려주는 사업이다.

코로나19로 위쿡은 F&B(Food and Beverage) 시장에서 매우 매력적이고 효율적인 외식 방식으로 떠올랐다. 위쿡은 이러한 다양한 자영업자에게 도움을 주는 비즈니스 모델로써, 사회적 상생모델로 크게 기여했다.

앞에서도 언급한 **과도한 음식점 창업 비용과 이에 따른 실패 리스크 감소를 통해 국가적으로 발생되는 기회비용을 최소화하며, 다양한 형태의 창업과 일자리 창출을 증대**시킨 것이다.

하지만, 엔데믹에 접어든 현시점에서 엄청난 보물창고로 생각되었던 공유주방 사업은 위쿡을 포함하여 위기를 맞고 있다. 이렇게 공유주방 사업이 국내에서 왜 성공하지 못하고 사양사업으로 전락하는 걸까?

코로나19 시점 다수의 공유경제는 전염의 위험성 때문에 존폐의 위기까지 몰렸지만, 언택트와 관련된 공유주방은 반대의 호황을 누렸고 시장은 가파른 성장을 보였다. 하지만 지금 상황은 미래를 예측하기 어려울 정도로 암울하다. 왜 이렇게 국내 공유주방 비즈니스 모델은 몰락할까?

첫 번째 이유는 **과도한 경쟁과 외식경기 침체**이다.

엔데믹 이후 배달시장이 포화된 상태에서 소비자 배달주문 수요가 급속히 줄어든 것이다. 또한 다른 나라보다 인구당 많은 식당 수로 경쟁이 과열된 상태에서 경기침체는 식당의 폐업을 급상승시켰다.

핀테크 기업 핀다의 빅데이터 상권분석 플랫폼 '오픈업'에 따르면 지난해 외식업체 **81만 8867개 중 폐업한 업체는 17만 6258개로 폐업률이 21.52%**에 달한다.

5곳 중 1곳 이상이 문을 닫았다는 뜻이다. 코로나19 확산이 절정에 달했던 2020년 9만 6530개보다 두 배 가까이 늘어난 수치다.

두 번째로는 **위생 불량으로 소비자 신뢰를 상실한 것**이다.

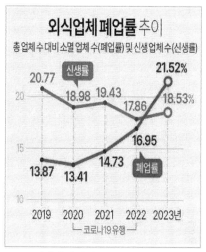

외식업체 폐업률 추이(연합뉴스)

손님이 직접 매장에 방문하지 않기 때문에 식당 운영 전반의 위생 관리가 허술하였다. 이로 인해 소비자의 관심에서 외면받게 되었고, 소비자는 가능하면 기존에 알려진 로드샵으로 운영되는 음식점에서 주문을 시켰다. 물론 이런 문제는 국내만의 이슈는 아니다.

미국의 개인 유튜브 기준 구독자 수 1위면서 본인의 이름을 걸고 초콜릿과 햄버거 프랜차이즈 사업을 하기도 하는 미스터 비스트가 자신의 이름을 건 '비스트 버거'를 고소했다.

사업적 파트너인 '배달형 공유 주방 기업' VDC(Virtual Dining Concpets)와 마찰을 빚었기 때문이다.

마찰의 원인은 VDC가 품질 상으로 먹을 수 없는 음식을 제공했다는 의심 때문이다.

국내와 마찬가지로 소비자의 눈에 보이지 않기에 감시 밖에 있었고, 또한 한 주방에서 44개에 달하는 브랜드 배달 음식을

미스터 비스트 유튜브 화면(유튜브)

조리할 정도라 품질 관리에 취약했다. 미스터비스트는 로열티 계약을 하면서 VDC와 "일관된 조리법으로 만들고, 위생을 준수해야 한다"는 조항을 담지 못했다.

주방이 아무런 제약 없이 자유롭게 영업할 수 있었고, 이로 인해 당연히 품질 관리에 실패하였다. 트위터, 유튜브 등 그가 활동하는 SNS에서 미스터비스트버거에 부정적 리뷰가 한순간에 뒤덮이게 되었다.

국내외의 이러한 공유주방의 문제는 결국 사업 철수 및 축소로 나타났다. 국내는 2019년 시작한 배달형 공유 주방 개러지키친이 한때 550여 곳의 개별 주방을 열었으나 2022년 파산했다.

다른 공유주방 업체들도 사업 모델을 재검토하거나 철수하는 절차를 밟고 있다. 국내 1호 공유주방업체인 위쿡은 배달형 공유주방 사업 '위쿡 딜리버리'를 접었고 나머지 사업도 가능성에 의문이 제기되고 있다. 키친빌더는 공유주방 사업 매각을 검토하고 있으며 사업 부진을 겪던 고스트키친은 키친밸리에 인수됐다.

그러나, **가장 큰 원인은 공유경제의 콘셉트를 잘못 활용한 점이라 생각된다. 단순히 공간의 공유에만 집중**해서 다른 공유경제와는 다르게 쇠락의 길을 걸은 것이다. 심지어 임대수익을 노린 부동산 투자자가 진입하면서 공유주방 사업 환경은 최악의 국면으로 전환되었다.

공유주방업체 현황(매일경제)

공유경제에서 가장 성공한 에어비앤비(Airbnb)의 사례를 보면 그들이 가진 미션과 콘셉트는 공유주방 사업자와는 너무나 다르고 특화되어 있다.

에어비앤비는 조 게비아와 브라이언 체스키가 2007년 샌프란시스코에서 같이 룸메이트로 살면서 월세를 감당하기 힘들어지자 집에 에어매트리스 3개를 놓고 방을 빌려주고 조식을 제공하면서 시작되었다.

초기에는 호텔 및 리조트들과는 달리, 일반인들이 소유하고 있지만 남는 공간을 여행자들에게 제공해 수익을 올릴 수 있도록 중개하면서 수익을 얻는 이른바 숙박 공유업체 수준이었다.

단순히 공간의 공유로부터 시작되었다. 하지만, 에어비앤비는 시간이 지나면서 명확한 콘셉트와 전략으로 그들의 사업을 고객지향적으로 차별화했다.

불필요한 스트레스 없이 편안히 지내고 싶은 비즈니스맨이나 해외가 익숙하지 않은 여행자에게 위치가 편하고 대접받는 호텔을 즐기기 원하는 대상을 타깃으로 하지 않았다.

여행에 익숙한 젊은 세대에게 처음 방문하는 마을에서도 이방인 취급받지 않고 판에 박힌 여행을 싫어하는 여행자들에게 현지 문화를 깊이 접하며 체험을 통해 잊을 수 없는 추억을 만드는 곳에 초점을 두었다.

에어비엔비 다양한 프로그램(CJ그룹 교육자료)

따라서, 에어비앤비는 갈수록 **단절되어 가는 시대에 테크놀로지로 사람들을 하나로 만드는 것을 미션**으로 누구나 전 세계 어디든 친구가 있는 시대를 빅 픽쳐로 그리며 그들의 플랫폼에 있는 공유공간을 **전 세계 어디든 내 집처럼의 콘셉트** 방향으로 사업을 육성했다.

결론적으로 공유경제의 성공여부는 단순히 공간만의 공유에 대한 의미만 부여해서는 성공하기 어렵다. 공유주방 비즈니스도 **공유주방 플랫폼보다 플랫폼에서 이루어지는 고객들에게 푸드메이커로 인큐베이션 및 관련 전후방 사업 지원에 집중**했어야 했다.

물론 B2C와 B2B는 차이가 크다. 훨씬 더 고객 니즈를 반영한 차별화를 만들어 내기가 어렵다. 사업체를 대상으로 하는 공유주방뿐만 아니라 공유오피스도 최근 너무 어려운 상황에 직면한 것도 같은 이유이다.

하지만, 공유경제에서 진정한 승리자가 되려면 그들만의 지향하는 콘셉트가 구체화되어야 한다. 과연 식당을 운영하는 주체들이 원하고 해결하고 싶은 것이 무엇일까?

비용을 넘어서 고객이 불편해하는 Pain Point 해결과 그들의 고객에 줄 수 있는 가치를 만드는 것에 집중해야만 한다.

우리나라는 진정한 배달의 민족이다.

배달사업의 시작점

Preference

CNN에서는 '서울이 세계에서 가장 멋진 도시인 50가지 이유'에 음식 배달을 포함시켰다.

주문만 하면 어디든지 배달되는 음식은 한국의 독특한 매력으로 꼽힐 정도로 배달 문화는 외국에선 생소할 수 있는 우리 고유문화의 진화라 할 수 있겠다.

CNN에서 소개될 만큼 한국처럼 음식 배달이 발달된 나라도 없다. 치킨, 피자, 햄버거부터 한정식까지 거의 모든 음식이 배달이 된다. 이런 **배달문화는 4차산업과 코로나19로 최근 들어 전 세계적으로 확산되고 있으나, 우리나라는 과거 선조부터 이어온 문화의 진화다.**

우리나라 음식 배달이 어떻게 태동되었는지 역사자료를 기반으로 보면, 조선시대에서부터 기록을 찾을 수 있다. 가장 오래된 배달 관련 기록은 조선 후기 실학자 황윤석의 '이재난고'에서 볼 수 있는데, 그는 "과거시험을 본 다음 날 점심에 일행과 함께 냉면을 시켜 먹었다."라는 기록을 남겼다.

그 당시 고급 요리인 냉면은 인기가 좋았고, 입소문이 퍼진 음식점은 배달 서비스를 제공했다고 한다. 이 기록은 1768년 7월 작성된 것으로 최소 250년 전부터 대한민국에는 배달 서비스가 존재했다는 것을 말해준다.

조선 말기의 인기 배달음식은 해장국 '효종갱'이었다.

광주 남한산성 내 경국을 끓이는 갱촌에서 배추, 콩나물, 송이, 표고버섯, 소갈비, 해삼, 전복 등을 장에 오랫동안 끓인 뒤, 밤에 항아리와 솜으로 싸서 소달구지로 한양으로 보내면 새벽종이 울려 통금시간이 끝날 때 도성으로 들어와 양반들에게 배달했던 음식이다. 직역하자면 새벽[曉] 종(鍾) 국[羹]이 된다. 즉 '새벽을 알리는 종소리가 울릴 때 먹는 탕'이라는 뜻이다. 통행금지 해제 시간까지 술을 마시던 사대문 안 양반들에게 효종갱은 속풀이에 알맞은 음식이었을 것이다.

효종갱은 질 좋은 재료가 많이 들어가고, 또한 배달 품삯을 생각하면 한 끼로는 고가였음이라 생각되고, 당연히 거금을 낼 수 있는 북촌의 사대부가 주된 고객이었다고 한다.

사대문 안 북촌에 새벽 4시에 맞춰 배달하기 위해서는 전날 저녁 9시에 출발해서 7시간이 걸리는 머나먼 배달이었을 것이다. 진정한 배달의 민족이라고 생각된다.

조금 더 현재와 가까운 음식배달에 관한 기록은 1906년 7월 14일, 일간 신문인 '만세보'에 기재되었다. 당시 명월관이라는 음식점이 "각 단체의 회식이나 시내 외 관광, 회갑연과 관혼례연 등 필요한 분량을 요청하시면 가까운 곳, 먼 곳을 가리지 않고 특별히 싼 가격으로 모시겠습니다"라는 내용의 배달 광고를 만세보에 기재하였다.

만세보광고(배달의민족)

　　인기 음식전문점이었던 명월관은 행사에 필요한 음식을 주문받아 행사가 열리는 곳으로 배달을 제공했다. 다양한 한식을 포장하여 교자상으로 배달하는 방식이었다. 이는 현재의 출장 한식 서비스라고 볼 수 있겠다.

　　또한, 1900년대 초반을 기점으로 이주 중국인들이 증가하면서 한국식 중식인 짜장면이 탄생했고, 해방 후 미국의 밀가루 원조 덕분에 짜장면은 한국인에게 인지도 높은 음식이 되었다.

　　곧 짜장면은 외식, 배달 음식의 유명인사가 되었고 1950년대에는 '신속배달, 중화요리' 등의 단어들이 대중화되었다.

초기 배달통(배달의민족)

우리나라는 해방 이후 근대화 및 전쟁으로 인한 피해 복구를 목표로 40년간 고도의 경제 성장을 이뤄냈다. 이러한 경제개발이 진행되면서 한국사람들 사이에는 '빨리빨리' 문화가 발전하기 시작했다.

국민은 경제 발전을 위해 막대한 업무량을 감당했어야 되었고, 급격하게 변화하는 사회는 한국인들에게 뭐든지 바르게 해결하고 적응하는 성향을 쥐여줬다.

이와 맞물려 우리나라에서는 배달 문화가 자연스럽게 발달하게 된 것이다. 빨리 먹고 일해야 하는 사람이 많으니 짜장면 같은 음식들이 자연스럽게 주류 배달 음식이 된 것이다.

80년대 사무실(경향신문)

또한, 우리나라의 80년대는 고도성장의 시기였다. 대도시로 인구가 몰려들고 대규모 아파트 단지가 생기면서 주변에는 밀집된 주민들을 상대로 단지 상가, 공중목욕탕, 배달음식점들이 생기기 시작했다. 대다수의 인구가 밀집되고 주소가 단지화되면서 빠른 배달이 가능해졌다.

2000년대 초반 한국의 **도심 중심의 밀집된 지리적 구조**, **치열한 경쟁 및 빨리빨리 문화 등 복합적 요소의 결합으로** 인해 다른 나라에서 볼 수 없는 **한국만의 고유한 배달 문화**가 정착되었다.

이렇게 보면 한국은 '배달 원조국'이라고 할 수 있다.

하지만, 4차산업 기반의 배달의 모습은 국내 서비스를 벤치마크한 딜리버리히어로(Delivery Hero), 어러머(ELE.ME·餓了么) 등 해외 사업자들이 먼저 빅데이터, 인공지능 등을 장착하고, 적극적 M&A, 성공적 해외 진출 등으로 산업화에 먼저 성공했다고 볼 수 있다.

외식 배달시장은 어디까지 진화할까?

배달 플랫폼의 등장(배달의 민족)

Preference

앞에서 역사 속의 배달 문화를 알아보았다. 지금부터는 근대사 속의 배달과 현재 진화하는 플랫폼에 대해 알아보도록 하겠다.

국내 외식업에서 배달음식은 중국요리에 불과했을 때가 그렇게 멀지 않은 과거였다. 연령대가 40대 이상에서 어린 시절 집에서 하는 최고의 외식은 중국요리였다. 그리고 시간이 지나면서 치킨, 패스트푸드 등으로 배달음식이 확대되었다. 지금처럼 **시스템**과 O2O(Online to Offline) **형태의 융복합 모습**은 2013년 **주문중개플랫폼 배달의 민족**이 만들어지면서 본격화되었다.

물론, 과거에도 배달음식을 먹고자 하는 사람들을 위한 콘텐츠는 체계적이고 시스템화 되어 있지는 않았지만 지속적으로 만들어지고 있었다. 예를 들면 **전단지, 배달책자, 중국집의 메뉴 및 연락처를 볼 수 있는 성냥,**

이쑤시개 등이 있었다.

성냥, 잡지(한국개발연구원)

　입소문으로 찾아오는 홀 중심의 외식업체와 달리 배달전문 중심의 중국집, 분식 전문점은 이러한 홍보수단이 가장 효과적으로 매출을 올릴 수 있는 마케팅 수단이다.

　이 시대에는 전화번호의 중요성이 매우 높아서 인기 있는 배달 전문점의 전화번호는 엄청 고가의 프리미엄이 붙어 있었다. 동네 유명한 중국집 번호는 수천 만원씩 거래되고 있었다.

　이렇게 전화로만 상용화되었던 배달문화가 폭발적으로 증가하게 되는 배경은 **2009년 말 애플의 아이폰 등장**이 가장 중요한 요소였다.

　스마트폰에서 활용할 수 있는 다양한 애플리케이션이 본격적으로 활성화되면서 대중화된 주문 애플리케이션이 등장하게 된 것이다. 오프라인상의 전단지, 배달책자 등의 배포와 보관 등의 어려움과 정보 전달의 한계성을 온라인으로 극복하며 **지속적이고 새로운 콘텐츠의 제공과 식당과 고객을 실시간 연결**할 수 있는 플랫폼이 탄생한 것이다.

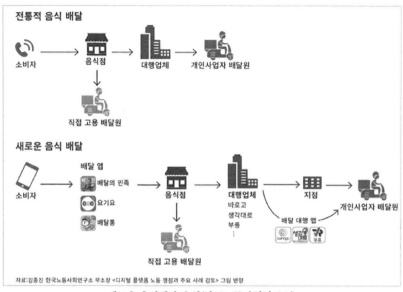

전통적 음식 배달

소비자 → 음식점 → 대행업체 → 개인사업자 배달원

↓ 직접 고용 배달원

새로운 음식 배달

소비자 → 배달 앱 (배달의 민족 / 요기요 / 배달통) → 음식점 → 대행업체 (바로고 생각대로 부릉 …) → 지점 → 개인사업자 배달원

배달 대행 앱

↓ 직접 고용 배달원

자료:김종진 한국노동사회연구소 부소장 <디지털 플랫폼 노동 쟁점과 주요 사례 검토> 그림 변형

새로운 음식배달 유형(한국노동사회연구소)

여기에 홀 중심의 외식이 배달을 통한 집이나 다양한 장소에서 하는 문화적 변화가 일어나면서 트리거 역할을 했다. 이러한 문화적 변화 배경에는 인구 통계학적 요소가 크게 작용을 했다.

첫 번째, **1인 가구의 증가**다. 1인가구는 식사를 준비하는 것을 전반적으로 귀찮아 하는 경향이 크다. 또한, 1인가구는 배달 음식이 한 끼 식사로 충분하며, 심지어 만들어 먹는 음식대비 손색이 없다고 생각하는 경향도 매우 강하다. 실제로 1인

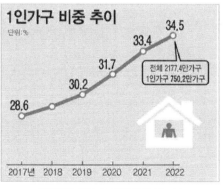

1인가구 비중 추이

단위:%

28.6 (2017년) → 30.2 (2018) → 31.7 (2019) → 33.4 (2020) → 34.5 (2022)

전체 2177.4만가구
1인가구 750.2만가구

1인가구 비중 추이(파이낸셜뉴스)

가구 배달음식 이용률에 대한 농림축산식품부 조사에서 14.1%로 전체 가구 중 가장 높게 나타났다.

다음은 **MZ세대의 등장**이다. 이들은 배달 음식을 믿음이 가는 안전한 먹거리로 생각하는 경향이 높으며, 심지어 예전과 달리 배달음식이 고급스러워졌다고 생각한다. 또한, 주문 애플리케이션에 지불한 비용이 합리적이고 가치가 있다고 생각한다.

UBS보고서에 따르면, 이들은 부모세대와 비교해 약 3배 더 자주 음식을 배달해 먹는다. 일주일간 음식 배달 횟수는 45~54세 인구 0.46회, 25~34세 1.22회이다. 젊은 세대일수록 시간 절약을 이유로 더 자주 배달 음식을 찾는다.

그래도 가장 근본적인 변화를 촉발한 것은 앞에서 언급한 모바일 기반의 음식 주문 플랫폼의 출현이다. 여기에 모바일을 이용한 결제서비스가 활성화되면서 전자상거래 범주가 넓어진 것도 배달시장의 성장을 폭발적으로 확대하는 주요 요소로 작용을 했다.

대한민국의 배달에 대한 역사와 현재 진화 모습에 대해 알아보았다. 지금부터는 이러한 변화를 활용한 성공한 스타트업의 사례를 보도록 하겠다.

국내 주문 애플리케이션의 시작점이자, 어떻게 보면 **세계 최초의 주문/배달플랫폼은 2010년 4월 오픈한 배달통이다.** 우리가 알고 있는 배달의민족보다 몇 개월 빠르게 오픈하였다.

배달통을 만든 스토니키즈 김상훈대표의 인터뷰 내용을 보게 되면, 당시

팀원 중 한 명이 아이팟을 가지고 있었는데 이 물건을 보면서 아이튠즈도 알게 되고 새로운 기회가 개발자들에게 오고 있다는 걸 직감했다.

배달통 로고(나무위키)

그는 이것을 통해 비즈니스에 새로운 개념이 도입될 것으로 생각했으며, 다양한 콘텐츠 시장도 열릴 것이라 예측했다. 또한, 개인도 좋은 콘텐츠를 만들면 유통될 수 있다는 걸 확인한 것이다.

이런 환경을 보면서 새로운 아이템을 개발하기 위해 고민하던 중 자취를 하면서 점차 쌓이게 된 종이 전단지를 보았다.

당시 빠른 속도로 보급이 되고 있던 스마트폰에 전단지를 넣으면 업주들과 소비자 모두 간편하고 효과적으로 활용이 가능하겠다고 생각했다. 그렇게 해서 2010년 4월 최초라는 타이틀을 가진 주문 애플리케이션인 배달통이 시작되었다.

배달통을 선두로 주문 애플리케이션은 이후 폭발적으로 증가했다. 이 시점에 2010년 10월 후발주자로 현재 국내 주문 애플리케이션 1등인 우아한 형제의 배달의 민족이 오픈하게 되었다.

최초 배달의 민족은 내 주변의 배달 집 정보를 쉽게 찾아주는 애플리케이션이다. **양방향 플랫폼으로 고객에게 편리성과 정보를 제공하고 식당에는 영업대행과 배달 및 마케팅**을 제공했다. 최초부터 소상공인과 함께하는 방향으로 만든 서비스플랫폼이다.

물론, 딜리버리히어로로 인수된 후부터는 상생보다는 수익성 중심으로 변화하면서 최초의 이미지는 완전히 퇴색되었다.

배민을 운영하는 우아한 형제들은 지난달 배민배달(배민 자체 라이더를 통한 배달) 중개 수수료를 9.8% 인상했다. 배달 중개 수수료율을 종전 대비 3% 포인트 올린 것으로, 경쟁 애플리케이션(앱)인 쿠팡이츠(9.8%)·요기요(9.7%)와 비슷한 수준으로 맞췄다.

외식업계는 이들 배달앱의 시장 점유율이 96%를 넘는 수준으로 독과점 시장을 형성하고 있는데, 중개 수수료율을 인상하는 과정에서 입점 업주들과 협의가 없는 것은 부당하다며 수수료 인상을 철회하라고 주장하고 있다. 또, 이들 앱이 경쟁을 벌이면서 발생하는 비용을 입점 업체에 떠넘기는 꼴이라며 이로 인해 외식물가 인상 역시 유발하고 있다고 주장한다. 한국프랜차이즈산업협회가 결성한 프랜차이즈 배달앱 사태 비상대책위원회는 배달앱 3사를 공정거래위원회에 신고하겠다고 밝힌 상태다. (2024.9.19 조선일 기사내용)

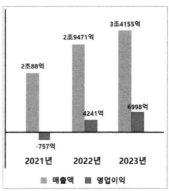

우아한 형제들 매출액/영업이익
(한경비즈니스)

배달의 민족을 만든 우아한 형제들 김봉진대표 히스토리에 대한 기사내용을 보자면, 처음부터 주문에서 착안하여 애플리케이션을 만든 것은 아니다.

본래는 **오프라인 상의 전화번호부 책을
스마트폰용 114 서비스**를 만들고 싶었다.

그래서 김대표는 변변한 사무실이 없이
지인의 두 평짜리 개인 공간을 빌려서 6명
의 창립 멤버와 사업을 시작했다. 30대 중
후반 6명이 아침에 모이자마자 흩어진 곳은
아파트 경비실이었다.

경비실 곳곳에 쌓여 있는 배달 전단지를
모았다. 재활용센터도 전단지 수거 단골 코
스였다.

초기 배달의 민족
(우아한 형제들 홈페이지)

초반에는 강남 주변을 중심으로 훑었다. 강남은 직장인과 아파트 입주자
가 한 곳에 많이 모인 지역이었고, 직장인 야식부터 간단한 배달까지 다양
한 전단지를 쉽게 모을 수가 있었다. 대낮에 30대 남성이 아파트 이곳저곳
을 돌아다니며, 전단지만 가져가다 보니 오해도 많이 샀다. 이렇게 해서 결
국 6개월 간 6명이 고생스럽게 발품을 팔아서 2010년 6월에 배달의 민족
초기 애플리케이션을 탄생시켰다.

한 때는 배달의 민족이 빛을 보지 못하고 포기하는 상황이 만들어질 수
도 있었다. 한창 발품을 팔아서 전단지를 모으고, 이를 데이터베이스로 만
들며 시스템을 구축하던 당시에 배달통이 먼저 출시된 것이다.

하지만, 김봉진대표는 **발견이 아닌 이상 하늘 아래 완벽히 새로운 건 없
다고 생각하고 기존 있었던 것에서 조금 더 쉽고, 빠르고, 저렴한 것을 내**

놓는다면 성공하는 비즈니스 모델이 될 수 있다고 생각했다.

처음 만들어진 배달의 민족은 단순히 많은 식당들의 배달 전단지를 애플리케이션에서 예쁘게 볼 수 있는 서비스를 목적으로 만들었다. 대형 포털 사이트와 비슷한 것을 출시하면 경쟁에서 도저히 이길 수가 없을 것 같아서 크게 시도하고자 하지 않았다.

하지만, 예상과는 달리 2010년 6월 배달의 민족은 앱스토어 출시 이틀 만에 1위에 오르게 된다. 먼저 출시한 배달통의 선전으로 우후죽순 비슷한 목적과 모양을 가진 주문 애플리케이션들이 100개 이상 출시되고 있었는데, 디자인적으로 차별화를 둔 배달의 민족이 사람들의 관심을 한 몸에 받게 된 것이다.

그리고 시간이 조금 지나고 나서 데이터를 모아서 사용할 수 있게 데이터 전처리를 하는 과정은 소규모 인력으로 만들어 내기는 어렵다는 것을 알게 되었다. 그래서 초기 모델에서 변형된 음식 주문 플랫폼으로 모델을 변경했다.

배달의 민족은 단순히 음식 정보를 제공하는 데 그치지 않고 **주문과 결제까지 가능한 원스톱 서비스**로 확대했다. 애플리케이션을 통해 고객은 전화 주문, 만나서 결제가 기본이었던 시장을 스마트폰으로 소액결제, 신용카드 결제로 온라인 유통플랫폼과 동일하게 쇼핑하듯이 배달 음식을 시켜 먹을 수 있게 진화시켰다.

이외에도 배달의 민족은 지속적 고객의 니즈를 파악해서 소비자 편의성을 고려해 접근했다. 온라인유통 플랫폼에는 보편적으로 접목되어 있었으

나. **음식 주문 플랫폼에는 존재하지 않은 리뷰 서비스도 도입**하였다.

과거 배달의 민족 광고(구글이미지)

고객과 식당사장과의 직접 대응을 통해 빠른 대응과 일반 고객에게 정보제공의 창구로 활용했다. 특히, 다른 업체들과는 달리 공격적이며 과감한 마케팅으로 타업체와는 차별화된 포지셔닝을 유지했다. 우선, 다양한 프랜차이즈와 업무제휴를 통해 타 배달플랫폼과는 다르게 고객들에게 지속적인 할인을 제공했다.

기존 유통 및 다른 산업형태의 플랫폼에서 많이 활용하는 마케팅기법이었으나, 배달 플랫폼에서는 매우 차별화된 형태였다. 이러한 마케팅은 압도적으로 고객 가입과 활용을 확대했다.

플랫폼의 활성화는 전국 수많은 배달음식점들이 자발적으로 찾아오게 만드는 역할을 했으며, 이러한 선순환 구조는 사업 확장에 지대한 영향을 미쳤다.

우아한 형제들은 지역별 가맹 배달음식점과 소비자를 이어주는 배달음식 주문 플랫폼 기반으로 끊임없이 고객만족 확대를 위한 다양한 계열화 사업도 추진하고 있다.

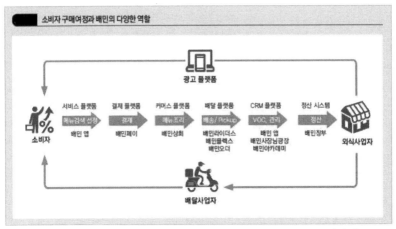

고객 구매여정에 따른 초기 배달의 민족 Biz모델 (우아한 형제들 홈페이지)

1단계로 배달의 민족과 배달 안되던 맛집을 배달하는 배민라이더스로 **빅데이터와 IT를 활용한 배달산업의 활성화**를 이끌었다.

2단계는 배민애플리케이션, 배민페이, 배민아카데미, 배민장부 등 **음식점 사장들에게 메뉴, 결제, 커뮤니티, 회계장부 등 운영의 편리성을 제공**하는 부가서비스를 확대했다.

3단계는 모바일반찬 서비스 배민프레시와 공유주방인 배민키친을 통해 배달과 부가서비스를 넘어 **직접 음식을 제조 또는 인프라제공**까지 확대했다.

서빙로봇(우아한 형제들 홈페이지)

90

더 나아가서 우아한 형제들은 종합' 푸드테크' 기업을 표방하면서 **자율주행형 서빙 로봇인 '딜리'를 상용화**하므로 디지털 전환을 통해 4차 산업혁명 속의 사업으로 더욱 깊숙하게 들어오고 있으며, 이러한 계열화 모델은 신선식품 새벽배송 서비스인 배민프레시를 넘어서 외식업 사장님을 위한 온라인 식자재 전문몰 배민B마트를 통해 **식자재유통의 퀵커머스 시장을 열어가고 있다.**

배민B마트(우아한 형제들 홈페이지)

주방의 크린토피아, 식기세척서비스 뽀득!

사례로 보는 푸드테크(뽀득)

Preference

세상에 새로운 비즈니스 모델이 나오면 처음에 과연 성공할까에 대한 의문점을 가진다. 시간이 지나면 너무 익숙하지만, 처음에는 무언가 어색하고 시대에 맞지 않다고 생각을 한다. 그런 회사 중 하나가 세탁서비스 크린토피아이다.

크린토피아는 1992년 분당 우성점을 시작으로 사업을 시작했다. 사업 초반에는 세탁은 집에서나 하는 단순 집안일이라는 소비자의 인식 때문에 고전을 겪었다. 이 시절에 드라이클리닝을 제외하고 세탁을 외부에 맡기는

손빨래하는 책표지(한림출판사 출판 책표지)

것은 일반적 상식에서 벗어났다. 하지만, **지금은 편리성과 1인가구 및 맞벌이 가구의 증가로 너무나 보편화**되었다.

세탁의 변천사를 보면 1980년대 후반 아파트로 주거 환경이 본격적으로 변화되면서 세탁기가 대중화되었다. 편리성을 더욱 추구하는 사람들은 동네 세탁소를 활용했다. 이러한 구조가 지금은 세탁가맹점에서 세탁물을 모아 중앙세탁공장으로 이동하여 통합적으로 세탁을 한 후 다시 세탁가맹점으로 보내지는 형태로 진화된 것이다.

고객의 니즈와 기술을 접목한 시장의 진화로 국내 세탁시장 규모는 2023년 5조 7천억 원에서 2028년에는 7조 2천억 원까지 확대될 것으로 전망되고 있다.

크린토피아는 세탁시장에서 **국내 최초로 매장에서 세탁물을 위탁 받아 지사에서 세탁물을 일괄 처리하는 세탁편의점이라는 콘셉트로 선진 시스템을 대중화**하는 데 가장 기여한 회사다.

국내 세탁시장 전망(한국경제신문)

지속적 투자를 통해 설비의 자동화 및 효율화를 추구했으며, R&D 기반으로 세탁에 대한 끊임없는 기술 및 서비스 개발로 세탁업계 패러다임 시프트(Paradigm Shift)를 이끌었다.

또한, 시스템 자동화를 통한 비용절감 및 작업능률 향상으로 인건비(세탁비용의 70%)를 대폭 줄이면서 고객 요금을 저렴하게 책정하여 운영하고 있다. 2017년 초반까지 셔츠 세탁이 단 돈 990원(현재는 1,800원) 파격적인 금액으로 운영하면서, 급증하는 1인가구와 맞벌이 부부의 니즈를 충족하면서 빠른 성장을 이끌었다.

아무리 좋은 서비스도 고객이 **수용할 수 있는** 요금과의 갭이 커지면 고객은 **이탈** 한다라는 진실을 알기에 지속적인 투자를 통한 생산성을 극대화한 것이다.

또한, 크린토피아만의 꼼꼼한 세탁 검수와 자동화 시스템은 기본 의류뿐 아니라 가죽제품, 신발, 가방, 이불 등 다양한 세탁물로 확대할 수 있게 만들면서 취급하는 상품수를 확대시켰다. 추가로 전국 세탁공장 지사를 통해 하루 3번 수거와 배송을 병행하면서, 오전 10시 이전에 맡기면 그날 저녁에 찾을 수 있는 특별서비스도 가능하게 만들었다.

탁월한 물류시스템은 타업체와의 차별화 및 진입장벽으로 작용했다. 이제는 B2C 세탁을 넘어 B2B 사업으로 영역을 확대 중이다.

의료기관 세탁서비스와 호텔 세탁서비스 진출은 물론이고, 의료기관의 효율적인 리넨(환의, 근무복, 침대시트, 이불 등) 관리 및 운영을 위한 종합서비스로 **확대되었다.**

이런 서비스가 주방에도 일어나고 있다. 앞에 '식당/급식에서 사라지고 있는 주방'에서 언급했듯이 외식업을 운영하는 데는 3가지 과정이 있다. 음식을 만드는 조리과정과 음식이 고객에게 전달되는 서빙 또는 배식과정,

그리고 고객이 다 먹은 음식 그릇 및 식판을 설거지하는 세척과정이다.

조리과정은 HMR제품과 센트럴 키친을 통해 생산성 증대 및 최적화를 만들어 낼 수 있고, 서빙과 배식은 로봇을 통해 해결 가능하다.

그렇다면 마지막 남은 세척과정은 어떻게 할 수 있을까? 세척공정은 뜨거운 물과 열기로 주방일을 하는데 가장 어려운 곳으로

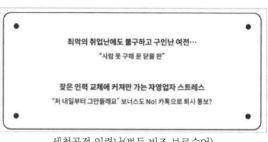

세척공정 인력난(뽀득 비즈 브로슈어)

대다수 기피하는 공정이다. 이로 인해 잦은 퇴사로 인력교체의 어려움이 자영업자에게 스트레스 작용하고 있고, 고객 서비스에 문제를 야기시킨다.

그런 고민과 스트레스를 해결하기 위해 주방에도 크린토피아와 같은 서비스 도입이 필요했다. 그 회사가 바로 스타트업 뽀득이다.

세탁서비스와 동일한 비즈니스 모델을 주방에 접목한 것이다. 뽀득은 설거지 없는 세상의 시작이란 미션 하에 외식업과 관련된 자영업자들이 오직 음식의 맛에만 집중할 수 있도록 서비스를 제공하고 있다. 현재 뽀득은 광명, 화성, 파주에 5,400평 규모의 세

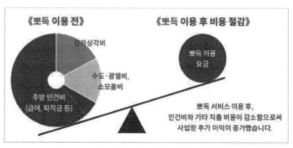

뽀득 사용 시 절감 구조(뽀득 비즈 브로슈어)

척공장을 통해 2,000여 개의 고객에게 하루 350,000개 이상의 세척된 식기를 공급하고 있다.

뽀득의 사업전략은 크게 3가지로 구성되어 있다. 일회용품을 다회용 식기로 바꾸는 뽀득 에코, 외식사업장에 식기세척과 렌털 서비스를 제공하는 뽀득 비즈, 그리고 어린이집과 유치원에 살균 소독 식기를 빌려주는 뽀득 키즈로 구성되어 있다.

뽀득은 이러한 **외식산업 내 인력으로 인한 구조적 문제를 해결하면서 영유아 시설 및 단체급식 기관을 대상으로 위생에 대한 신뢰도, 비용 절감 등의 긍정적인 부가가치를 제공**하고 있다.

이로 인해 외식점포들도 실질적으로 경제적 도움을 받고 있으며, 더 중요한 운영에 필요한 인력에 대해 구인난의 어려움을 해결하고 있다. 덤으로 기존에 세척설비가 있었던 공간을 별도로 활용할 수 있어 임대료의 부담도 축소시킬 수 있었다.

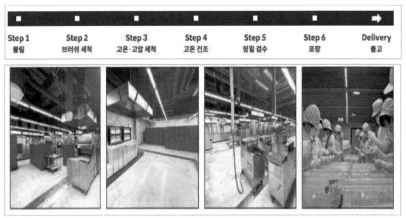

뽀득 공정 라인(뽀득 비즈 브로슈어)

개인적으로 2019년 단체급식과 푸드서비스사업 본부장을 맡고 있을 때, 센트럴 키친과 세척공장에 대해 기획 및 사업을 추진했었다. 대규모로 운영되는 사업장에 잦은 인력 교체와 구인란으로 인해 맛의 일관성과 서비스 지속성을 유지하기가 쉽지 않았기에 중장기적 전략 하에 투자를 진행한 것이다.

센트럴 키친은 성공적으로 론칭하여 사업 성장에 중요한 핵심역량으로 자리매김되었다. 다만, 세척공장은 안정화 실패로 사업 진출이 중단되었다. 물론, 인력중심으로 운영되는 세척공장 구조였다면 문제없이 런칭했을 것이다.

하지만, 그런 구조의 세척공장은 가동률 증가와 고객 확대 시에 대처가 쉽지 않고 생산성 극대화가 어렵다. 따라서, 자동화 기반의 세척공장으로 인력을 최소화하면서 효율성과 생산성도 최적화하고자 했다.

성공적 사업 론칭을 위해 전 세계 1위 세척설비 업체를 통해서 사업을 진행했다. 해당업체도 한국의 성공사례를 바탕으로 글로벌시장에 확대시키고 싶은 욕심이 있었다. 그런데 생각지도 못한 문제가 발생했다.

세계 1위 업체가 독일회사라 한식의 특성을 잘 이해하지 못했다. 밥을 주식으로 하는 한식은 밥의 찰기로 인해 세척공정 상의 불림작업이 매우 중요했다. 하지만 양식을 기반으로 한 독일업체는 해당 문제점을 너무 쉽게 간과했다. (세척 후 밥풀 흔적이 남아 있는 경우 발생)

두 번째는 빅데이터와 인공지능에 대한 지식이 미흡했다. 제조업체 특성상 설비와 인프라에는 강점이 있었으나, 디지털에 대한 이해는 약했다.

식기와 식판 등의 세척자동화는 중앙 식기세척기 앞과 뒤에 이것을 잡아서 기계에 투입하고 분리를 할 수 있는 로봇팔이 필요하다. 없을 시는 세척공정 상의 인력 축소가 쉽지 않았다.

미세한 반도체 공정에도 빠르게 움직이는 로봇 기술은 이미 완성되어 있으나, **중요한 것은 해당공정에 디지털 기반 머신러닝**이 필요했다.

다양한 식기와 식판의 이미지 인식을 위한 비전카메라를 통해 수많은 경우의 수로 놓여 있는 다양한 식기의 모습을 빅데이터로 구축하고 이것을 학습시켜야 했다.

아마존 로봇팔 로빈(아마존 제공)

비전카메라로 인식된 빅데이터를 머신러닝을 통해 어떠한 상황에도 로봇팔이 물건을 정확히 집어야 하며, 그 속도가 매우 빨라야 생산성과 효율이 나올 수 있었다. (사진에 있는 아마존 로봇팔 로빈은 다른 크기의 상자, 부드러운 소포, 다른 봉투 위에 겹친 물품 등을 파악해 원하는 것을 결정하고 집는다.)

하지만, 끝내 이문제를 해결하지 못하고 독일업체는 철수했다. 그래도 1위 기업 답게 모든 철수비용과 원상복구비용까지 회사에 지불하고 철수해서, 당사는 비용적 피해는 없었다.

다만, 미래를 이끌어 갈 수 있는 핵심역량 확보에는 실패를 했다.

전통기업들도 이제는 디지털 전환(Digital Transformation)을 생각하지 않으면 절대 미래를 지배할 수 없다는 것을 철저하게 깨닫는 계기가 되었다.

뽀득도 지금은 성공을 하고 있으나, 지속적이며 글로벌까지 진출을 위해서는 반드시 빅데이터 기반 자동화라인 구축이 필요하다. 일부 자동화는 진행되고 있겠지만, 인력의 소요가 가장 많은 식기세척기 전후 라인에 자동화를 접목하지 못하면 높은 경쟁력과 진입장벽을 확보하기는 쉽지 않을 것이다.

스타트업의 빠른 대응과 디지털에 대한 이해를 바탕으로 과감한 투자가 이루어진다면, 뽀득은 새롭게 만들어진 식기세척 시장에 선점효과와 고도화된 인프라와 생산성을 기반으로 반드시 글로벌시장까지 성공할 수 있을 것이라 판단된다.

기약 없는 기다림이여 안녕! 나우웨이팅!

사례로 보는 스타트업(나우웨이팅)

Preference

한동안 엔저 현상으로 인해 많은 사람들이 일본을 방문하고 있다.

개인적으로도 맛집 탐방 및 온천욕을 위해 북해도를 여름기간에 방문했다. 한국인 외에 많은 외국인들의 방문으로 유명한 맛집은 대다수 웨이팅 없이 이용하기는 어려웠다. 30분 대기는 기본인 듯했다.

그런데 아직까지 일본의 식당들은 웨이팅 앱을 사용하지 않고, 노트에 대기이름을 적고 기다리는 것이 일반적이다. 제조업 최강국이지만, 신용카드 및 디지털문화가 너무 느린 것은 참 아이러니하다.

이런 모습을 보면 대한민국은 정말 디지털문화를 선도하며 고객지향적 마인드가 세계 최고인 듯하다. 이미 웨이팅서비스 앱은 코로나19 이전부터 도입되기 시작했고, 현재는 너무나 보편화되어 있다.

맛집 식당 문제점 (舊) 나우버스킹 회사소개서)

디지털 전환 속도가 MZ세대 중심 젊은 창업자들이 놀랄 정도로 빠르게 추진하면서 사업화를 만들어내고 있다.

대기업 임원으로 재직했던 2019년, 사업적으로 젊지만 추진력과 창의력을 바탕으로 사업을 만들어가는 스타트업 창업자와 전략적 제휴를 모색했다.

단체급식 및 컨세션(휴게소, 공항, 푸드코트 등) 사업을 책임지는 입장에서 고객 편리성과 디지털 전환에 사업적으로 관심이 매우 컸었다. 그 회사가 지금 야놀자가 인수한 야놀자에프앤비솔루션 나우웨이팅의 전신인 나우버스킹이다.

나우버스킹은 오프라인에서 모은 고객을 온라인 서비스로 넘겨주는 O2O(Online to Offline) 비즈니스 모델로 설계되었다.

일반적으로 O2O비즈니스는 배달의 민족, 요기요 등과 같이 온라인에서 고객을 모아 오프라인 상으로 전달해 주는 형태가 보편적이다. 즉, 모바일을 포함한 정보통신기술(ICT) 인프라를 통해 소비자의 수요에 맞춰 즉각적으로 맞춤형 제품 및 서비스를 제공하는 온디맨드(On-demand) 서비스 방식이다.

디지털이 접목된 맛집 식당 (舊) 나우버스킹 회사소개서)

하지만, 나우버스킹은 온디맨드 시장은 포화단계라 생각하고, 오프라인 사용자를 온라인으로 가져오는 서비스로 오프라인 공간을 풍성하게 만들고 가치를 창출하는 전략을 선택했다. 오프라인 사용자들이 가장 괴로움을 느낀 경험이 무엇인지를 고민한 것이다.

나우버스킹은 데이터 기반 비즈니스에 취약한 소상공인에게서 축적해 온 빅데이터를 기반으로 한다.

오프라인 사용자의 상황을 파악해서 거기에 맞는 온라인 서비스를 제공하므로 음식점주와 손님 간의 관계를 지속적으로 이어갈 수 있게 하는 솔루션이다.

구체적 사례를 보면 음식점의 경우 사람들이 많이 찾는 맛집은 사람들이 좋아하는 곳이지만, 기다림에 지쳐 그곳이 싫어지게 되는 경우가 많다.

이름난 맛집을 방문하면 음식을 먹기까지 얼마나 많이 기다려야 할지 걱정하는 경우가 대부분 있을 것이다. 실제 기다리다 보면, 앞에 줄이 줄지도 않고 마냥 서

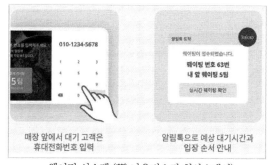

| 매장 앞에서 대기 고객은 휴대전화번호 입력 | 알림톡으로 예상 대기시간과 입장 순서 안내 |

웨이팅 시스템 (舊 나우버스킹 회사소개서)

서 멍하니 시간을 보내면서 지루하다 못해 괴롭기까지 하다. 심지어 방문이 후회가 되기까지 한다.

또한, 종업원들도 반복되는 입장 예상시간 문의와 짜증 섞인 고객들의 말투에 지치기도 한다. 나우버스킹은 모두가 불편한 이런 상황을 해결하기 위해서 솔루션 서비스를 만들었다.

나우버스킹은 코로나19 확산 시에도 진가를 발휘했다. 마스크 구입을 위해 길게 줄을 늘어선 약국에 새롭게 도입된 것이다. 공적 마스크가 배포되고, 마스크 구입 5부제가 실시된 초기에 약국 내 혼잡은 쉽게 가시지 않았다. 마스크가 입고되는 시간도 일정하지 않아 언제 들어오는지 묻는 질문에 약사들은 본업에 집중하기가 어려웠다.

고객들은 물량이 일찍 소진될지 모른다는 불안감에 줄 서기가 지속되었다. 이렇게 사람들로 북적 되면서 2차 감염의 위험도 커졌다. 하지만, 이 프

로그램을 도입하면서 우려했었던 문제는 해결되었다.

나우버스킹은 사업의 시작을 웨이팅서비스로 시작했으나, **이 시스템은 실질적으로 데이터를 모으는 창구 활용을 본질**로 하고 있다. 사실 축적된 데이터를 기반으로 한 **빅데이터 사업자가 사업의 중심**이다.

이렇게 축적된 빅데이터는 단순한 CRM(Customer Relationship Management) 사업이 아닌 시대적 트렌드에 맞는 비대면 흐름에 맞게 매장 점주와 고객 간의 디지털 컨택트를 이어가는 중간자 역할 사업을 궁극적 목표로 하고 있다.

과거 그들의 전략을 살펴보면, 첫 번째 **입장단계는 앞에서 언급한 입장 관리를 위한 웨이팅 서비스**이다. 고객이 기다림으로 인한 불편함을 해소하고 효율적인 매장 운영을 돕는 대기관리 서비스이다. 또한, 대기시간이 길었던 고객들에게 1,000~3,000원짜리 할인 쿠폰을 주어서 재방문 비율도 높였다.

두 번째 **주문단계에는 효율성과 편리성을 제공하기 위해 주문 처리를 위한 키오스크와 챗봇**이 있다. 고객이 홀 내에서 무인시스템인 키오스크를 통해 독립적 주문을 함으로써 점포 내 효율성을 증대할 수 있다. 또한, 고객이 모바일로 어디서나 쉽게 사전 주문하고 픽업 알림을 받을 수 있게 하는 서비스이다.

세 번째 **제조단계에서는 주문 통합관리로 다양한 채널을 통한 주문을 한 번에 관리하여 주방의 효율**을 높였다.

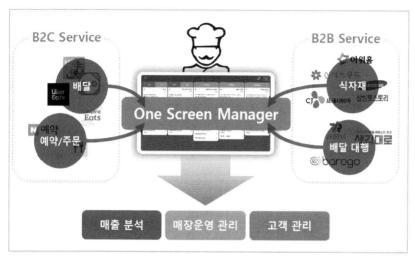

통합관리 시스템 (舊) 나우버스킹 회사소개서)

배달 대행 서비스부터 무인결제기까지 많은 각각의 서비스가 개별적 단말기를 통해 처리되었던 것을 하나로 통합했다. 손님은 자신이 편한 방식으로 주문하고 자영업자는 단말기 하나로 모든 온라인 서비스 주문을 처리하는 것이다.

네 번째 **CRM단계에서는 축적된 매장 내 데이터를 활용한 고객 관리**가 있다. 다양한 고객 액션 데이터를 바탕으로 더 세밀한 매장 분석과 큐레이션을 통한 다양한 마케팅이 가능하다. 이런 서비스를 통해 외식업을 하는 사장은 오직 음식의 맛과 같은 본질과 고객에 집중할 수 있다. 더 나아가서 매장 내에서 축적되는 빅데이터와 다양한 외부 플랫폼 및 오프라인 사업자와 연결하여 더 많은 서비스를 추구하고자 한다.

매장 내에서 만의 서비스가 아닌 전후방 사업과의 자동적 연결을 통해 진정으로 식당을 운영하는 사장은 앞에서 언급된 맛과 고객응대의 본질 외에는 **잡무와 비효율적인 업무를 최소화**하는 것이다.

사업모델 및 이익구조 (舊) 나우버스킹 회사소개서)

이러한 서비스 강화는 다양한 비즈니스 모델을 창출할 수 있다.

기존의 서비스 이용에 따른 수수료와 기기판매 외에 자체 결제 시스템을 통한 수수료 확보, CRM을 통한 부가서비스 매출, 다양한 광고 프로모션, 데이터 제휴 사업 등이 가능하다.

이런 기술력과 사업 확장 역량은 국내 1위 여가 플랫폼 기업인 야놀자의 투자 및 M&A를 이끌었다. 야놀자는 나우버스킹 인수를 통해 호스피탈리티(Hospitality) 산업 전반의 디지털 전환을 가속화함과 동시에 언택트 선두 기업으로 더욱 확고히 하고 있다.

궁극적으로 **나우버스킹의 외식업 중심 스마트 웨이팅 솔루션을 숙박, 레저 등 여가 전반으로 확대해 언택트 트렌드에 선제 대응하고 슈퍼 애플리케이션으로의 진화**를 추진한 것이다.

또한, 야놀자 애플리케이션과의 연동을 통해 고객은 여행지 근처 맛집을 추천받고, 전국 유명 레스토랑 예약, 웨이팅, 주문에 대한 원스톱 서비스까지 보다 편리하고 차별화된 경험을 누리게 만들고 있다.

야놀자에 부족한 외식업을 나우버스킹으로 보강하면서 강력한 시너지를 창출한 것이다.

기존사업 모델에서 일부 전략은 수정되었으나, 야놀자를 통해 빅데이터 기반 외식사업

사업간 시너지 (회사 홈페이지)

모델이 어떻게 추가적 진화가 될지 앞으로도 더욱 기대가 된다.

외식업 운영의 솔루션이
내 손안에...KCD!

사례로 보는 푸드테크(KCD)

Preference

국내 음식점업(주점업 포함) 사업체 수는 약 79만 개이며, 종사자도 200만 명이 넘는다.

이런 외식산업은 규모 면에서는 지속적으로 양적인 성장임에도 불구하고, 폐업률은 제조업 평균대비 약 2배 수준으로 매우 심각한 상황이다. 통계청 기준 음식점업의 생존율은 1년 이내가 60% 중반이고, 3년 이내는 30% 초반 수준이다. 최근 5년간 70만 명이 넘는 음식점업 자영업자가 폐업 신고를 한 것으로 나타났으며, 폐업한 자영업자 여섯 곳 중 한 곳이 음식점이다.

이렇게 성공 확률이 낮음에도 불구하고 지속적으로 음식점업 창업이 확대되는 이유는 국내 경기침체로 인한 고용 창출이 한계에 도달했고, 구직의 어려움을 겪는 젊은 층과 은퇴한 중장년 층들에게 다른 사업보다는 음식업이 접근하기가 용이하기 때문이다.

많은 자영업자들은 장사가 안되어서 망하는 경우가 많겠지만, 전문지식과 운영관리 상의 문제로 사업을 접는 경우도 종종 있다. 실제 흑자가 나면서도 망하는 경우도 자주 발생한다.

왜냐하면 매출, 자금, 세무 등의 전문지식 부족으로 곳간에서 돈이 빠져나가는 것을 파악하지 못하고 위기가 정점에 이르고서야 알아채기 때문이다.

이런 문제점과 어려움이 있는데도 해결을 위한 사업의 주체가 없었다. 그러나 이번에도 창의적인 국내 스타트업의 젊은 창업자들이 IT를 개발하여 자영업자가 스스로의 사업장을 잘 관리할 수 있도록 시스템을 구축했다.

빅데이터와 정보통신기술을 통해 최적의 경영관리 정보를 제공하여 영세한 자영업자의 성공을 지원하는 것이다.

바로 그 회사가 한국신용데이터 KCD(KOREA CREDIT DATA)이다.

KCD는 아주 간단하지만 시장 내 도입되지 않아 그동안 자영업자에게 불편을 제공했던 문제점을 해결하는 포인트로부터 사업을 시작했다.

그동안 영세한 자영업자의 고민은 오늘 현금이 얼마나 계좌에 들어올 것인지를 모른다는 점이었다. 고객이 밥값을 카드로 내면 카드사는 전표를 확인한 뒤 자영업자에게 약 2~3일 뒤 돈을 준다.

그런데 고객 대다수가 신용카드로 결제를 한다. 여기에 8개 정도의 카드사는 각각 정산 주기와 수수료율이 다른 탓에 정산 받는 매출액을 확실하게 알 방법이 없다.

일 매출이 얼마인지 대충은 알 수 있지만, 정확하게 파악하기 어렵다. 특히, 하루에도 많게는 몇 백 건의 결제를 하는 외식업의 경우, 수기로 했을 때 전혀 파악이 되지 않는다.

이런 문제점을 해결하고자 KCD 는 캐시노트 프로그램을 개발했다.

캐시노트 매출/입금 확인(KCD 홈페이지)

캐시노트는 카드 매출전표 뿐 아니라, 현금영수증 정보까지 분석해 주기 때문에 사장님들이 현금 흐름의 가시성을 확보해 주었다.

또한, 자영업자에게 오늘 통장에 입금될 돈을 알려준다. 추가로 세금계산서 관리도 직접 해준다. 국세청에서 자기 사업자로 세금계산서가 발행이 되면 캐시노트는 카카오톡으로 알람이 오고 어떤 품목인지, 단가와 총액이 얼마인지 등 상세 내용까지 바로 확인할 수 있다.

캐시노트는 2017년 4월 데이터와 연결을 핵심역량으로 시작하여 현재까지 전국 자영업자 150만 명이 이 서비스를 사용하게 만들었다. 고객의 니즈와 편리성을 기반으로 운영하기에 매우 빠른 수준으로 고객을 유치했다. B2B경로에서는 매우 보기 드문 속도였다.

캐시노트가 별도의 마케팅을 하지 않고도 단기적으로 폭발적 고객의 모집할 수 있었던 것은 **편리성 외에도 기본 시스템인 매출관리 정보가 매우 높은 유용성을 제공**하기 때문이다.

더해서 카카오톡 기반의 정보 제공으로 매우 쉽고 용이하게 정보를 파악할 수 있다.

카카오톡 기반 캐시노트(KCD 회사소개서)

외식업을 운영하는 다수의 중 장년층이 정보기술 접근성이 다소 떨어진다는 약점을 카카오톡으로 보완하여 쉽게 이용할 수 있도록 설계되었다. **카카오톡을 활용 시 별도 애플리케이션을 다운로드하지 않고도 자영업자가 이용할 수 있는 장점이 있었다.**

이렇게 캐시노트는 카카오톡 친구 추가만으로도 자영업자가 매출 관리를 할 수 있는 서비스 시스템이다.

실적, 자금, 세금 등의 경영관리 정보를 쉽게 확인할 수 있는 장부관리 서비스로 시작한 캐시노트는 다양한 서비스로 영역을 확대했다.

데이터 기반으로 단골 관리 운영에도 매우 효과적인 시스템으로 진화했다.

외식업을 비롯한 업장에서 카드로 결제를 하면 카드번호 16자리 중 10자리가 노출되는

캐시노트 서비스(KCD 홈페이지)

데 캐시노트는 공개된 카드번호를 토대로 카드 매출 전표를 관리해 재방문 고객을 인지할 수 있다.

다양한 정보 기반 매장을 홍보하고 단골에게 카카오톡 메시지도 보낼 수 있으며, 사업 운영에 필요한 기능을 사용해 운영효율성을 최적화시킬 수 있다.

고객으로부터 모은 빅데이터와 마이데이터 사업자로서 외부에서 제공받는 데이터를 바탕으로 자영업자에게 걱정 없이 사업하실 수 있도록 카드, 대출 비교, 신용점수 조회, 절세까지 사업 자금 해결 방법을 모두 모아 가장 좋은 금융 혜택으로 제공한다.

더불어 자영업자들 간의 온라인 소통 공간도 제공하면서 같은 업종, 지역 사장님과 교류하고 지

캐시노트 금융서비스(KCD 홈페이지)

원정책, 소상공인 뉴스, 전문가 칼럼까지 공유하고 있다.

장사 고민, 소소한 일상을 150만 명의 진짜 사장님들과 함께 나누면서 서로 간의 공감대 및 현실적 문제점을 가장 잘 해결해 줄 수 있는 최적의 공간을 만들어 주었다.

마지막으로 모든 B2B O2O비즈니스의 최종 골인 **장사에 필요한 식자재를 합리적인 가격으로 필요로 하는 모든 상품을 한 번에 구매할 수 있도록 다양한 상품을 공급**하는 플랫폼을 구축했다.

이제는 한국신용데이터 KCD는 자영업자에게 특화된 은행 설립을 추진하며, **제4 인터넷은행 설립에 집중하고 있다.** KCD가 보유한 고객과 빅데이터를 기반으로 자영업자들의 매

캐시노트 식자재주문 시스템
(KCD 홈페이지)

출, 운영실적 등을 기반으로 정당한 평가와 적시에 자금을 조달할 수 있는 최적의 자영업자 중심의 은행을 꿈꾸고 있는 것이다.

유니콘 스타트업 회사인 KCD 앞으로 어떤 모습으로 변화할지 궁금하다. B2C에 카카오가 있다면, B2B에는 KCD가 그 역할을 하지 않을까 나름 기대도 해본다.

4장. 식품제조 속 푸드테크(FoodTech)

농축산물의 수급 불안정을
4차 산업혁명으로 극복!

1차산업에 접목된 애그테크(AgTech)

Preference

올 한 해 소비자 물가가 급격히 변동하고 있다. 농산물은 장기간 이어지는 고온현상과 폭우로 제대로 발육과 성장이 되지 않아 생산성이 매우 떨어지고 있어 상추, 양파, 대파 및 과일류 등의 가격이 고공행진을 이어가고 있다. 몇 년 전 계란가격은 역대 최고 소비자 가격인 한판(30구)에 9,000원을 넘었다.

농축산물 가격이 급등하면서 애그플레이션(Agflation)이 발생하고 있으며, 소비자 물가도 함께 오르는 현상이 반복적으로 일어나고 있다.

이러한 원인 중 하나는 고도화된 산업발전으로 지구 환경이 빠르게 변화하기 때문이다. 이산화탄소 과다 배출로 오존층 파괴가 일어나고 있고, 지구는 온난화와 같은 기후변화가 지속적으로 발생되고 있다. 시간이 지날수록 이상기후는 더 자주 발생되며, 그 강도는 점점 더 심해지고 있다.

이런 환경변화 속에서 농업의 불확실성 위험은 지속적으로 증가할 것이고, 이로 인한 농산물 수급 불안정은 반복적 가격의 변동성 확대로 나타날 것이다.

또한, 무분별한 산업화 전략은 지구의 환경오염을 심화시키고 다양한 신종 감염병을 쉽게 발병시키고 있다. 최근 발생한 조류독감으로 양계 농장은 폐쇄되었고, 많은 가축들은 살처분되었다. 산란계 농장의 닭도 살처분이 다수 발생하면서, 계란 공급망 붕괴는 계란가격을 역대급으로 상승시키기도 했다.

환경과 질병 외에도 농업계의 구인난은 이런 문제를 더욱 가중시키고 있다.

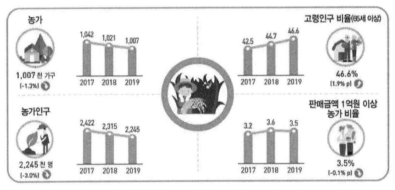

농촌의 변화 현황(한국과학기술기획평가원 데이터 농업의 미래, 2020년)

국내 농촌 지역은 세계와 비교할 수 없을 정도로 빠르게 고령화가 되고, 농가 수, 농가인구가 감소하고 있어, 노동력 및 생산성이 매우 낮아지고 있다. 수확기에는 농촌에 인력난이 가중되고 이로 인해 일당이 18~19만 원까지 올라가고 있는 상황이다. 더욱이 이렇게 고용된 인력도 65세가 넘는 고령층으로 노동력이 필요한 농가에서는 당연히 생산성이 떨어질 수밖에 없다.

기후변화와 지구 온난화, 환경악화, 농가인구 축소 등의 복합적 영향으로 향후 국내 농축산물은 생산부족으로 국가적 위기 상황도 초래할 수 있는 위험을 안고 있다.

국내 생산부족은 과거 글로벌 협력체계 안에서 수급 안정이 유지되었던 시대와는 너무 크게 변화하고 있다. 최근, 코로나19, 전쟁 등으로 농축산물 공급망 이슈가 발생했을 때, 주요 농축산물 수출국 등은 자국 우선주의를 선언하면서 더 이상의 협력관계는 없었다.

기후변화가 지속적이며 장기화할 경우, 우리나라는 식량안보의 위협에 필연적으로 노출될 것이다. 2021년 농촌경제연구원 전망자료에 의하면 **국내 식량자급률은 44.4%**로 매우 낮은 수준을 보이고 있다. 문제는 시간이 지나면서 더욱 악화된다는 것이다. **2016년 50.3%에서 2021년 44.4%로 빠르게 하락**한 것이다.

우리나라 농지면적 40%에 불과한 네덜란드는 물도 부족하고, 바람도 많고, 염분도 높은 비옥하지 않은 토지를 가졌지만 세계 2위 농업수출국이다. 세계 수입 농산물 물

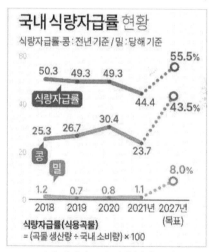

국내 식량자급률 현황(연합뉴스)

량의 약 7%가 네덜란드 산이다. 1위 농업수출국 미국과의 영토차이는 무려 270배 차이가 난다. 그럼에도 불구하고 미국과 어깨를 나란히 할 수 있었던 것은 매우 높은 생산성 때문이다.

네덜란드의 온실에는 99% 이상 스마트농업이 보급되어 있다. 데이터를 보지 않고 전근대적 농사를 짓는 농가는 거의 없다. **토마토 한 품목의 생산성을 보더라도 한국의 4배, 중국에는 무려 10배 수준**이다.

일찍부터 시설 농업 등 다양한 기술을 접목하여 차별화된 농업 선진화를 만들면서 영토 한계성을 극복한 것이다. 더 이상 우리나라도 토지 면적의 한계성의 이유를 들면서 핑계를 되면 안 된다. 네덜란드와 같이 국가안보 차원에서 적극적 약점을 극복해야 한다.

현재와 같이 식량에 대한 대외적 의존도가 높은 우리나라는 앞에서 언급한 바와 같이 향후 발생할 수 있는 세계적 질병 및 갑작스러운 기후변화로 인해 큰 위기상황이 초래될 수도 있다.

코로나19 팬데믹 발생으로 국가 간 이동 제한과 국경 폐쇄 등으로 공급망 체계가 붕괴된 것이 대표적인 사례를 보여준다. 식품 제조의 근간이 되는 원물 수급 문제로 식품 생산이 멈추는 상황이 발생되고, 공급 부족에 따른 물가가 순식간에 급상승한 현상이 나타났다.

농축산물 주요 수출국가는 자국 내 공급이 우선하며 보호 무역주의를 강화하였고, 공급망 지역화 등의 대봉쇄를 추진했었다.

위기상황 시에 식(食)의 불안정한 수급으로 국가체계의 붕괴가 가능할 수 있다는 단면을 보여준 사례이다.

환경개선을 통해 극복하는 것은 한 국가의 노력만으로는 불가능하다. 전 세계가 공감과 협약을 통해 긍정적으로 진행된다고 하더라도 상당한 시간 이 소요될 것이다. 따라서, 단기적으로 최대한 극복방안을 찾는 것이 매우 중요하다.

이를 해결할 수 있는 방안이 **농업(Agriculture)과 기술(Technology)이 결합된 애그테크(Ag-Tech)를 추진**하는 것이다.

디지털 전환 기술을 바탕으 로 근대적 농업 을 극복하는 것 이다. 또한, 차 세대 국가의 신 성장 동력으로 육성해야 한다.

애그테크의 활용(LX인터내셔널)

낙후된 국내 농업 환경에 4차 산업혁명의 패러다임 전환을 만들어 내는 것이다. 농축산 업 생산 관련된 부문에서 가장 큰 변화는 **기존에 경험을 기반으로 농사를 짓던 방법에서 데이터 기반으로 변환**되고 있는 것이다.

이외에도 빅데이터, 정보통신기술, 생명공학기술, 환경공학기술, 클라우 드, 로봇 등의 다양한 기술을 바탕으로 농업의 생산성과 부가가치 창출을 크게 이끌어가고 있다.

애그테크 상에서 접목될 수 있는 4차 산업혁명 기술은 다양한 형태로 나타나고 있다.

생산부문에서는 농작물, 가축, 기후 등의 **빅데이터와 연계한 원격관리 기술과 농작물 생육과정 모니터링을 할 수 있는 플랫폼 구축으로 전체 생육환경을 자동 제어가 가능**하게 만들고 있다. 또한, 무인화 기계설비는 생산성 강화와 고부가가치화를 가속화한다.

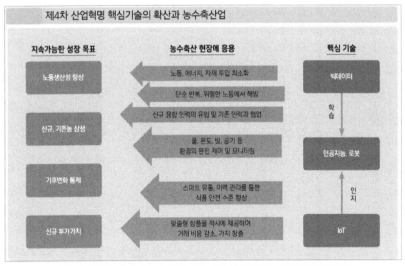

4차 산업혁명 핵심기술의 확산과 농수축산업(소프트웨어정책연구소)

유통부문에서도 데이터의 위조를 막는 블록체인(Blockchain) 기술을 기반으로 생산부터 유통, 소비까지 농축산물 유통 전 과정을 잇는 새로운 문화도 만들 수 있다.

농산물, 축산물 유통 단계별 이력 정보와 증명서를 블록체인에 저장하여 공유함으로써, 현행 이력제 업무의 신뢰성과 신속성 향상이 가능하다. 블록체인 기술을 이용해 중간단계가 많은 유통 구조를 줄이고, 농산물 생산자와 소비자를 직접 연결해 주는 직거래플랫폼도 가능하다.

소비부문에서는 구매자의 건강과 체질 등 고객정보와 연계한 최적화된 맞춤형 상품 공급이 가능하여 새로운 부가가치 창출도 용이 해졌다. 다양한 디지털 기술의 접목은 노동, 에너지, 자재 등의 농축산업에 투입되는 기본요소를 최소화하여, 발생하고 있는 문제를 상당 부분 완화할 수 있다.

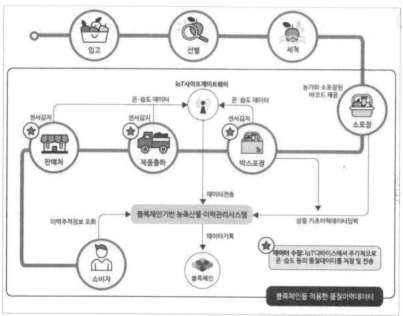

블록체인 기반 농가의 애그테크(팍스넷뉴스)

단순한 노동력만 필요했던 **1차산업 현장을 첨단 산업화**함으로써 새로운 일자리와 우수한 인력을 유입이 일어나고 있다.

더 이상 1차산업은 후진국에서나 활성화된 노동집약적 산업이 아니다. 네덜란드와 같이 주요 선진국들은 이미 1차산업을 국가주요 정책과제로 선정하여 집중적으로 육성하고 있다. 그래서 다수의 선진국은 GDP의 10% 이상을 1차산업에서 만들어내고 있다.

우리나라도 현재 앞서가고 있는 **디지털 역량을 빠르게 1차산업에 접목하여 차세대 미래산업으로 육성 및 국가 안보차원에서도 대비**가 필요한 시점이다.

가정의 주방을 대체해 가는 HMR

HMR 변천사

Preference

10년부터 본격적으로 HMR(Home Meal Replacement) 제품이 급속히 증가되고 있다. 이전만 해도 보통 가정집은 직접 밥을 짓고 반찬과 국을 농축수산물을 전처리하여 만들어 먹는 것이 기본이었다.

간편 조리형 제품을 자주 먹는다는 것은 받아들이기 어려운 사회적 통념이었다. 10여 년 전만 해도 햇반과 가정 조리형 제품은 여행용, 비상용 긴급 대체식에 불과했다.

하지만, 지금은 더 이상 집에서 햇반과 간편 조리형 제품을 보편적으로 먹는다는 것이 이상하게 보이지 않는다. 이런 간편 **조리형 제품들이 가정에서 활성화**된 것은 그리 오래전 이야기는 아니다.

우리나라의 문화환경, 인구통계 변화가 급속도로 발생하면서, 2010년 이후 본격적으로 나타난 현상이다.

통계를 보자면 **여성경제활동 참가율이 1995년에 48.4% 정도였으나, 2019년 69.3%으로 약 21% 상승**했다.

부부의 일평균 가사노동 시간도 2019년 기준 여성과 남성의 노동시간이 187분, 54분인데, 과거에 비해 여성은 큰 폭 감소한 것이다. 1인가구 비중 역시 1990년에 약 9%에 불과하였으나, 2023년 35.5%까지 약 26% 상승했다.

결론적으로 **여성의 경제 활동이 늘고, 가사노동 시간이 줄고, 1인가구가 늘어나면서 간편 조리형 제품에 대한 기호가 높아진 것이다.**

이런 변화가 2010년 7,700억 원 수준에 불과했던 HMR 시장을 2022년 5조 원으로 성장시켰고, 2023년에는 무려 7조 원까지 확대된 것으로 추정되고 있다.

지금은 매우 익숙해진 단어인 HMR은 꽤 오랜 시간 전에

국내 가정 간편식 시장규모(식품외식경제)

만들어졌다. **HMR 역사는 과거 전투식량 목적으로 만들어진 레토르트 식품에서 시작**된다.

앞에서 언급한 전투식량인 병조림, 통조림 등이 너무 무겁고 부피가 큰 단점을 보완하고자 레토르트 식품이 탄생한 것이다. 국내에서 레토르트 식품의 시작은 1981년 오뚜기 3분카레가 시초이다.

READY TO EAT
완조리가 되어 바로
먹을 수 있는 즉석제품

READY TO HEAT
렌지나 오븐에 가볍게
데우기만 하면 먹을 수 있는 제품

READY TO COOK
반조리가 되어 요리를
간단하고 하기 쉬운 제품

READY TO MEAL
요리를 쉽고 빠르게 할 수 있는
손질된 식재료, 소스 등이
전부 준비되어 있는 제품

간편식의 발전단계 및 정의(2021년 서울 국제간편식 HMR전시회 홈페이지)

RTE(Ready To Eat) 형태인 레토르트는 RTH(Ready To Heat)를 거쳐 RTC(Ready To Cook), RTM(Ready To Meal)으로 발전했다.

이러한 가정 간편식의 진화 및 보편화는 일반 가정집에 주방의 가치를 점점 퇴색시키고 있다. 건설사들은 이미 과거와 달리 소형평형 아파트의 주방을 축소하고 휴식과 안락함을 추구하는 거실 공간으로 확대하고 있다.

앞으로 **식품제조사도 동종업체의 제품 범주를 경쟁관계로 보지 않고 같은 시간을 두고 경쟁하는 주방과 관련된 전기제품이 그들의 미래 경쟁자**로 나타날 것이다. 예를 들자면, 햇반의 경쟁자는 타 회사의 즉석밥이 아닌 주방의 전기밥솥이 될 것이다.

이런 B2C 내에서의 변화는 B2B 환경에도 빠르게 도입되고 있다. 레토르트 형태의 1세대 HMR과 반찬중심 HMR인 2세대를 지나서 고급화와 다양성이 포함된 3세대 HMR이 완성되고 있다.

이런 환경은 B2B경로인 외식에도 접목이 되어서 **RMR, 밀키트와 같은 4세대로 진입을 했으며, 빠른 시간 내에 케어푸드(Care Food)인 5세대 HMR이 시작**될 것이라 예상되고 있다.

세대 변화	내용	핵심 키워드
1세대	'집밥 대용식'으로 시작된 HMR은 각종 레토르트 식품이 원조	레토르트 식품
2세대	'집에서 해 먹는 것'으로 인식되던 반찬을 만들어서 판매하는 곳이 생기면서 '반찬 HMR'로 시장 확대 및 세분화	반찬중심 HMR
3세대	HMR제품이 다양화·세분화 되고 단순한 편리함만이 아닌 고급화에 초점을 맞춘 브랜드 및 제품 등장	HMR의 고급화
4세대	외식업체들의 HMR 시장 진입, 다양한 요인으로 HMR 시장이 확대되고, 점포 방문 외식이 감소하면서 외식업체들도 새로운 수익모델로 HMR 시장 진출. – RMR (Restaurant Meal Replacement) 시장의 확대 : 전문 레스토랑 메뉴의 HMR 구현 공유주방을 통한 RMR의 확대 – 밀키트, CMR (Convenient Meal Replacement) 등 새로운 형태의 HMR 등장	외식의 HMR화, 밀키트, CMR
5세대	전 연령층에 걸친 생애 주기별 식품, 특수 목적형 HMR	케어푸드

HMR의 변천사(DB금융투자. 차재헌애널리스트)

ESG 관점에서 대체육 시장의 성장

대체식품의 발전

Preference

10여 년 전부터 선진국을 중심으로 대체식품에 대한 관심과 수요가 증가하고 있다. **대체식품이란 동물 단백질을 대체한 식품으로, 식물성대체식품, 곤충단백질 대체식품, 배양육** 등이 있다.

이렇게 대체식품으로 소비 트렌드가 바뀌는 이유는 육류 중심의 식문화로 인해 개인의 건강 문제가 선진국을 중심으로 크게 대두되고 있기 때문이다. 육류는 순환기계 질환, 비만 등 만성병 발병의 원인으로 밝혀지고 있다.

첫 번째 **식물성 대체식품은 식품에서 추출한 단백질을 이용**하여 고기, 계란 등 축산식품과 비슷한 형태와 맛이 나도록 제조한 식품이다. 식물로부터 단백질을 얻기 위한 주요 원료로 원료 수급이 원활한 콩을 중심으로 발전해 왔으나, 최근에는 해조류, 완두콩, 버섯 등 다양한 원료로 확대가 되고 있다.

우리나라도 선진국으로 진입과 외국 문화 유입의 영향으로 다양한 식단에 대한 관심과 건강, 환경, 윤리적 이유로 육류 섭취를 제한하고 간헐적 채식주의의 변화가 빠르게 나타나고 있다. 이에 따라 식

대체계란(KBS. 쌤과함께)

물성 대체육 제품에 대한 소비자 관심도 높아지고 있다.

곤충단백질 대체식품은 식용곤충에서 추출한 단백질을 이용한 식품이다. UN 식량농업기구 FAO(Food and Agriculture Organization of the United State)에서는 22년 기준 전 세계 식용가능한 곤충의 수가 약 1,900종을 초과한다고 보고 있다.

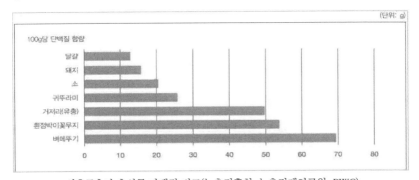
식용곤충과 축산물 단백질 비교(농촌진흥청. 농촌경제연구원. PWC)

식용곤충은 영양적으로 탁월하고, 친환경적이며, 경제성도 우수하다.

실제로 식용곤충은 고단백질 식품으로 섬유질, 아연, 칼슘, 철분 등을 함유해 영양적으로 우수하다. 하지만, 아직까지는 충분히 활용되지 않는 식용자원이다. 한국에서는 영화 설국열차의 곤충양갱을 통해 매우 익숙해지게 되었다. '설국열차'에서 꼬리칸의 사람들이 먹었던 단백질블록, 그 재료는 바퀴벌레였다. 영화를 보고 난 뒤

영화 '설국열차' 곤충양갱 장면

대다수 관객은 '징그럽다' 반응과 앞으로 양갱 못 먹겠다는 반응을 보였다.

하지만, 우리나라에서는 70년대까지만 해도 단백질과 먹을 것이 많지 않아 메뚜기와 번데기 등으로 단백질을 보충했으며, 어린이들의 간식으로 활용되었다.

배양육은 살아 있는 동물세포에서 얻은 줄기세포에 영양분을 공급해 실내에서 키워내는 식용 고기를 의미한다. 즉, 동물의 근육줄기세포와 같은 세포조직을 체외 배양하여 고기와 유사한 맛과 영양성분을 구현해 낸 제품으로 소, 돼지, 닭 등 가축의 사육과정 없이 동물성 단백질을 제조하는 기술이다.

식물성 대체식품에서는 육류의 풍미를 재현하기 어려운 반면, 배양육의 경우 기존 육류와 같은 동물성 원료를 사용하기 때문에 육류 풍미 재현성이 높다. 다만, 육류 육질은 동일하게 생성할 수 있으나, 아직까지 지방(마

블링)은 구현하지 못해서 실제 육류의 부드러운 맛을 만드는 데는 한계가
있다.

배양육의 아이디어는 전 영국 총리 윈스턴 처칠이 처음으로 제시한 것
으로 알려졌다. 처칠은 1931년 본인의 에세이에서 "50년 후 우리는 닭가
슴살이나 치킨윙을 먹기 위해 닭 한 마리를 직접 키우는 어리석음에서 벗
어나 적당한 배지에서 닭고기를 부위별로 길러낼 것이다."라고 언급한 바
있다고 한다.

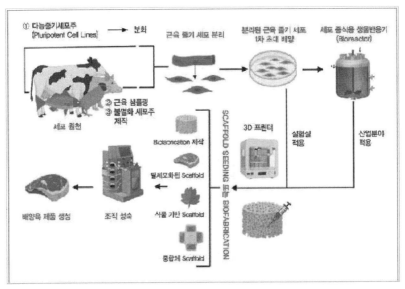

배양육 제조과정(Davide Lanzoni et al(2022), 삼일PwC경영연구원)

이후 배양육 연구의 대부로 불리는 네덜란드 빌렘 반 엘런 교수가 배양
육 개념을 체계화하고 관련 연구들을 진행하며 국제 특허들을 취득했다.

앞에서도 간단히 언급했지만, **미래에 대체식품이 본격적으로 활성화될**

것이라는 판단은 인구통계학적 이슈와 ESG(Environmental, Social, Governance) 관점에서 실마리를 찾을 수 있다.

첫 번째로 **세계 인구 증가**로 인하여 단백질 공급원인 육류의 소비량이 매우 빠르게 증가할 것으로 예상되기 때문이다.

국제 연합식량 농업기구(FAO)는 전 세계 인구가 2018년 76억 명에서

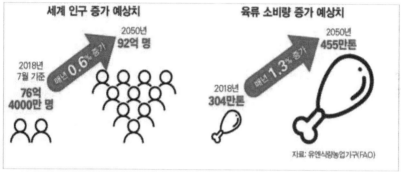

가짜고기의 시대가 온다(시사저널)

2050년 92억 명으로 연간 0.6%씩 증가할 것이라 예상했다. 이로 인해 육류 소비량은 2018년 304톤에서 2050년 455만 톤으로 연간 1.3%씩 증가할 것이라 전망하고 있다.

두 번째로는 **환경오염**에 미치는 영향이다. 전 세계는 온실가스 배출량의 빠른 증가로 인해 오존층 파괴 및 다양한 환경오염을 겪고 있다.

지구의 온도는 100여 년 사이 0.85도가 올라갔다. 한국은 이보다 높은 1.8도가 상승했다. 지금처럼 온실가스가 계속 배출된다면 아마도 2100년에 한국은 약 4.7도 정도 온도가 상승할 것이라 예측된다. 더욱이 해수면도 73 센터미터까지 높아질 것으로 판단되며 해안가 저지대는 수시로 침

수가 일어날 것이다. 따뜻해진 대기로 인해 토양수분이 증발하고 빙하가 사라지며, 이로 인한 사막화, 가뭄, 산불 등의 증가와 물 부족 현상이 심화될 것이다.

기후변화에 관한 정부 간 협의체(IPCC) 2018년 10월 특별보고서를 보면 **전 세계 온실가스 배출량 중 축산업으로 발생되는 부분이 약 15%**나 된다고 한다.

축산업에서 배출되는 온실가스가 전세계 모든 교통수단에서 발생하는 온실가스 배출량 비중 13% 보다도 높은 수준이다.

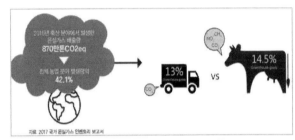

가짜고기의 시대가 온다(시사저널)

가축의 트림, 방귀, 배설물에서 나오는 메테인 가스와 아산화 질소는 이산화 탄소보다 각각 23배, 300배 더 강력히 온실효과에 영향을 준다고 한다. 또한, **가축용 곡물사료 재배를 위해서 상당 부분의 산림이 파괴**된다. 유엔 농업식량기구는 아마존 산림의 약 70%는 이러한 목적으로 파괴되었다고 발표했다.

생활 속 비교를 통해 본다면 우리가 1kg의 쇠고기를 먹을 경우 발생하는 온실가스 배출량이 승용차로 260km를 주행할 때, 일반 가정에서 9일 동안 난방을 했을 때 발생하는 온실가스 배출량과 거의 비슷하다고 한다.

세 번째로는 **기존의 가축 사육 방식에 대한 반인륜적 모습에 대한 거부감**이다. 이렇게 주요 세 가지 원인으로 인해 대체식품 시장은 급속도로 팽창하고 있다.

얼라이드 마켓 리서치 보고에 따르면 전 세계 대체육 시장은 2017년 42억 달러에서 2025년 75억 달러, 원화로 8.5조 원으로 예상하고 있다. CJ 제일제당을 포함한 국내 식품대기업이 적극적으로 대체육사업에 뛰어드는 이유이기도 하다.

다만, 시장보다 너무 빠른 투자는 높은 리스크로 작용할 수 있다.

시장을 지배하는 마케팅은 시장보다 반 발짝 빠른 준비다.

국내 식품기업들의 체력을 감안할 시, High Risk, High Return을 추구하는 것보다는 시장을 주의 깊게 읽어가면서 본격적 투자 타이밍을 노리는 것이 의미 있을 것이라 판단된다.

전세계 대체육 시장 현황(한국채식연합)

3D프린팅의 진화가 푸드에도 다가오고 있다.

사례로 보는 푸드테크(노리시드)

Preference

세계 다양한 국가에 파견된 KOTRA 주재원들이 현지에서 느끼는 새로운 제품이나 뜨고 있는 스타트업 중심으로 트렌드 및 글로벌환경을 주제로 매년 책을 집필한다. 올해도 2024 한국이 열광할 세계 트렌드를 12년째 출간했다.

이번 내용에는 3D 프린터를 활용한 초개인화 비즈니스를 구축한 영국의 노리시드(Nourished)라는 스타트업이 소개되었다. 제약과 관련된 영양제 제조회사이지만, 미래 식품에 좋은 인사이트가 있어서 소개해 본다.

3D 프린팅 기술은 1983년 미국의 찰스헐(Charles W. Hull)에 의하여 발명되었다. 3D 프린팅 기술은 디지털 설계 데이터를 바탕으로 재료를 한 층씩 쌓아서 물체를 만들어내는 방식이다. 일반적으로 플라스틱, 금속, 세라믹 등의 재료를

사용하여 부품, 프로토타입, 예술 작품 등을 제작한다. 3D 프린터는 크게 덩어리를 깎아 만드는 절삭형과 재료를 녹여 쌓는 적층형으로 나뉘며, 적층형 방식이 재료 손실이 적어 대부분의 3D 프린터에서 사용되고 있다.

식품 분야에서는 미국 코넬대학교 호드립슨 교수가 2006년도에 3D 푸드 프린팅을 최초로 선보였으며, 초기에는 초콜릿, 쿠키 및 치즈를 원료로 조형물을 출력하는 수준이었다. (한국산업기술진흥원 자료 참고)

노리시드는 공인영양사이며 건강광인 멜리사(Melissa)가 창업했다. 멜리사는 2018년 여행을 가면서 노리시드의 비즈니스 모델을 처음으로 생각해 냈다. 10년 이상 비타민을 열렬히 소비해 온 그녀는 출장을 갈 때마다 다양한 알약, 정제, 보충제가 들어 있는 큰 가방을 가지고 다닌다.

어느 날 그녀는 실수로 공항 보안 검사대에 영양제가 들어있는 가방을 떨어뜨려 정장과 하이힐을 신고 기어 다니며 주워야 했으며, 영양제가 섞여버리는 불편한 상황을 겪었다.

그녀는 영양제를 섭취하는 더 편리한 방법이 있을 것이라고 생각했고, 그렇게 해서 노리시드라는 아이디어가 탄생했다.

노리시드 창업자 멜리사(노리시드 홈페이지)

전통적인 생산 방식으로는 개인에 맞추어 각기 다른 성분을 담은 다양한 함량의 영양제를 만들어 주기란 불가능하다. 그래서 소비자들은 대량생산된 다양한 영양제를 다량 복용해야 하는 불편함이 있었고, 또한 개인별 건강 기준이 아닌 표준화된 형태로 영양제를 복용해야 했다.

그러나 노리시드는 이런 문제점을 극복하고 새롭고 편리하며 초개인화 된 영양제를 개발했다.

3D 프린팅 기술을 바탕으로 소비자가 자신만을 위한 고유한 영양제를 주문하면 생산공장에서 바로 제작된다. 개인별 체질, 식

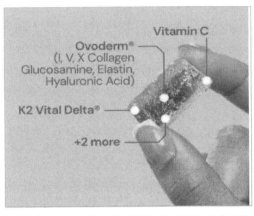

노리시드가 판매하는 7층 영양젤리(노리시드 홈페이지)

단, 생활습관 등을 반영하여 개인 맞춤형 영양제를 만드는 것이다. 노리시드가 이러한 영양제를 만들 수 있는 이유는 3D 프린터를 통해 영양제를 인쇄하는 데 있다.

3D 프린터를 활용해 다양한 영양소를 쌓아 올리는 방식으로 젤리를 만들기 때문에 수많은 조합을 손쉽게 만들 수 있다.

이렇게 노리시드는 특허받은 **3D 프린팅 기술을 활용하여**, 고객의 개별 **건강 및 라이프스타일 요구에 맞게 특별히 설계된 개인화된 7층 영양 제리를 만든다.**

이 젤리는 과학적으로 배합된 고영향 영양소, 비타민 및 슈퍼푸드의 혼합물로, 최대 효능과 최적의 흡수를 위해 신선하게 주문 제작되었다.

노리시드의 차별성(노리시드 홈페이지)

노리시드는 주문이 들어오면 바로 제품을 제작하는 온디맨드(On-Demand, 공급 중심이 아니라 수요가 모든 것을 결정하는 시스템이나 전략 등을 총칭하는 말) 생산방식을 사용하므로 제품이 항상 신선하게 유지되며, 더불어 재고를 최소화하므로 비용을 최적화하고 있다.

생산 효율성을 극대화하면서 생산단가를 낮췄고, 소비자들은 커피 한잔도 안 되는 값에 매일같이 7종의 영양제를 즐길 수 있다.

노리시드의 성공사례는 식품의 3D 프린팅을 통한 제조의 성공 가능성을 보여주고 있다. 특히, **영양성분이 맞춤형으로 필요한 실버층과 성인병을 앓고 있는 많은 환자들에게 큰 도움**이 될 것이다.

또한, 지속적으로 성장하는 케어푸드시장에 접목하여, 향후 식품기업들의 미래를 이끌 수 있는 신성장 동력으로 충분히 육성할 수 있을 것이라 보인다.

음식을 프린트한다.
3D 푸드 프린팅(푸드테크)

3D 프린팅이 음식과의 만남

Preference

나이가 들면서 점점 영양제를 통해 건강을 보충하는 경우가 커지고 있다. 개인적으로도 50대를 넘어서면서 하루에 복용하는 알약의 개수가 계속 늘고 있다. 먹을 때마다 많은 수의 알약을 넘기는 것도 쉽지만은 않다. 그리고 불필요하게 과다 복용하는 영양제도 많은 것 같다.

하지만, 대다수의 개인은 이런 불편함을 해결할 생각을 하지 않는다. 보편적으로 불편을 감수하면서 관성적으로 받아들이며 행동한다. 하지만 노리시드 창업자 멜리사는 달랐다.

세상에 많은 발명품과 기술은 불편함을 해결하고 편리성을 추구하는 데서 만들어진다.

이번장에서는 식품산업에서도 보유한 기술을 바탕으로 창의적이면 세상에 놀랄 만한 사업 아이템과 시장을 이끌어가는 푸드테크의 하나인 3D 푸드 프린팅에 대해서 알아보겠다.

3D 푸드 프린팅 산업은 최근 몇 년간 세계가전전시회 CES(Consumer Electronics Show)에 꾸준히 소개되며 미래 먹거리로 떠올랐다.

디지털 기술이 급속도로 발전하면서 음식도 3D 프린터를 통해 인쇄를 할 수 있게 된 것이다. 제약에서 맞춤형 초개인화 영양제가 상용화되듯이 식품에서도 구체적 상품화가 일어나기 시작했다. 더 이상 주방에서 가열을 통해 음식이 조리되는 것이 아니라 음식을 프린트해

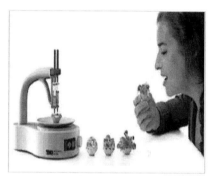

3D 푸드 프린팅(전자과학관길라잡이)

서 만들어지는 거다. 식생활에서 완전한 패러다임 전환이 일어나고 있는 것이다.

3D 프린팅은 3차원으로 만든 설계도와 컴퓨터 기술을 바탕으로 재료를 조형해 실제의 결과물을 만들어내는 기술이다. 즉, 식용 재료를 프린터의 잉크로 사용하는 개념으로, 재료를 압출해 노즐을 통해 원하는 모양이나 디자인의 음식을 만들 수 있다. 내가 원하는 음식을 직접 출력해서 먹는 것이라고 보면 된다. 음

3D 푸드 프린팅(전자과학관길라잡이)

식에 접목하여 활용되는 3D 프린팅은 다양하게 활용할 수 있다.

기존에 수작업으로는 구현하기 힘들었던 **다양한 형태의 음식 디자인을 구상 및 설계하여 표현하고 출력**할 수 있다. 대표적으로 접목할 수 있는 예를 들자면, 케어푸드의 연하식(무스식)이다. 연하식은 연하곤란 환자를 위해 만들어진 식품이다.

연하곤란이란 음식물이나 침을 삼키는 동안에 잘 통과하지 못하거나 지연되는 느낌을 의미한다. 연하곤란이 오래 지속되는 경우엔 영양부족, 탈수를 물론 음식물이 기도나 폐로 넘어가면서 발생하는 흡인성 폐렴, 질식과 같은 합병증이 발생할 수 있다. 이런 환자들에게 음식을 편안하게 제공할 수 있게 만들어진 것이 연하식이다.

연하식은 음료나 젤리 같은 형태의 음식이다. 다만, 음료나 젤리 형태의 음식은 일반식과 형태가 많이 달라 먹는 사람의 식욕을 떨어뜨릴 수 있다. 연하식 내 무스식은 이런 문제점을 보완하기 위해 실제 음식과 유사하게 만드는 기술이 접목된 음식이다.

다양한 무스식(복주회복병원)

개인적으로 과거 무스식의 가장 선두기업인 일본의 뉴트리사와 제휴사업을 진행한 적이 있다. 하지만, 해당 무스식은 일반식과 유사한 형태를 만들기 위해 사람의 손이 많이 가는 수제 음식이다. 또한, 만들기 위해서 일부 전문성이 필요하다. 이로 인해 음식을 만드는데 비용이 많이 증가하여 병원의 치료식 등에 확대하기가 용이하지 않았다.

하지만, 3D 푸드 프린팅 기술은 이런 문제를 쉽게 해결할 수 있다. 추가적으로 **3D 푸드 프린팅은 다양한 재료를 활용하고 개인의 특성에 맞는 요리가 가능**하다. 더불어 언제 어디서든 같은 맛과 품질의 음식을 먹을 수 있게 하면서도 지금까지 맛보지 못한 형태의 음식과 질감, 식감을 선사한다.

3D 푸드 프린팅은 미국 코넬대학교 호드립슨 교수가 2006년 최초로 선보였으며, 초기에는 초콜릿, 쿠키 및 치즈를 원료로 조형물을 출력하는 수준이었다. 이후 2023년 미국 컬럼비아대 연구팀의 노력으로 음식 제조의 혁신이 일어났다. 기존에 초콜릿, 밀가루 반죽과 같이 한 가지 재

3D프린팅 된 치즈케이크(컬럼비아대 공대)

료만을 통해 만들어졌던 것이 3D 프린터 노즐에서 흘러나온 누텔라 초콜릿과 젤리 필링 위에 딸기 맛 아이싱을 올린 치즈 케이크 한 조각이 완성됐다. 과거부터 기존까지 존재했던 3D 푸드 프린팅 기술이 한 단계 진화한 것이다.

지금까지는 초콜릿, 밀가루 반죽 등 한 가지 재료만으로 만들 수 있었던

것을, **컬럼비아대 연구진이 만든 치즈 케이크는 7가지 재료를 모두 3D 프린터 노즐로 프린트**한 것이다.

3D 푸드 프린팅은 미래 식품 생산과 외식산업에 놀랄 만한 변화를 만들어 낼 최첨단 푸드테크 기술로 주목받고 있다.

Precedence Research에서 보고한 글로벌 3D 푸드 프린팅 시장 규모는 2023년에 6억 6,582만 달러였고, 2024년에는 7억 1,376만 달러로 집계되었다. 2024년부터 2034년까지 연평균 성장률은 약 7% 수준으로 추정되며, 2034년에는 약 14억 705만 달러에 도달할 것으로 예상했다.

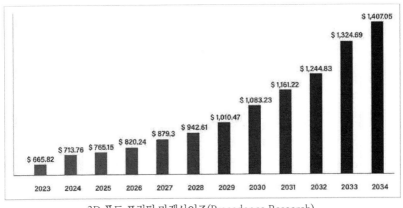

3D 푸드 프린팅 마켓사이즈(Precedence Research)

이런 성장 배경에 대해 컨설팅 업체인 PwC는 3가지 이유로 지속적 성장이 가능할 것으로 보았다.

첫 번째는 3~4년 전 코로나19 시절에 전염 예방을 위한 비대면 서비스 수요가 폭발적으로 증가한 부분과, 글로벌 공급망 이슈로 식품 공급이 원활하게 이루어지지 못하면서 3D 푸드 프린팅이 요리사와 접촉 없이 제작되기에 **위생과 맞춤형 식품 제공의 측면에서 소비자 요구를 충족했고, 대량 생산이 가능하다는 점에서 식량안보** 이슈 대응도 가능케 했다.

두 번째는 세계적으로 **환경에 대한 관심으로 육류 소비에 대한 부정적 이미지가 증가**한 것이 또 다른 배경이 되었다. 육류는 동물 사육 과정에서 대량의 온실가스가 배출된다. 축산업으로 발생하는 온실가스가 약 15% 비중으로 전 세계 교통수단에서 발생하는 온실가스 배출량 13%보다 높다. 이런 문제해결을 위해 대체육, 식물성 유제품 등 대체식품에 대한 관심이 늘어났다.

3D 프린팅은 식감과 영양성분을 재현한 소고기와 생선을 생산해 이와 같은 문제점을 해결할 수 있는 최적의 기술이다.

세 번째는 전 세계적인 **인구 증가와 고령화 등 인구 구조 변화**가 하나의 성장 요인으로 작용했다. 인구 증가로 인한 **식량난 우려의 해결책으로** 3D **프린팅과 AI 기술을 접목해 제조된 대체 단백질 식품**이 제시됐다. 또한 고령화로 인한 식품 안전에 대한 우려도 해결될 것으로 기대하고 있다. **고령층의 영양균형을 유지하기 위해 3D 프린팅을 활용하면 식품 성분까지 맞춤 제작**할 수 있고, 개인 식단도 관리할 수 있다.

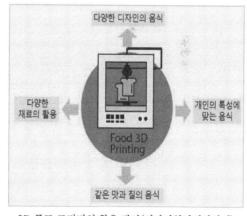

3D 푸드 프린팅의 활용 방안(전자과학관길라잡이)

결론적으로 정리하자면, 3D 푸드 프린팅 시장은 식품의 개인화 강화 및 대체식품 시장 확대, 친환경 소비 경향에 영향을 받아 전 세계적으로 시장이 고성장 할 것으로 예상하고 있다.

특히, 케어푸드와 연결해서 본다면 대한민국과 일본에서는 매우 빠른 속도로 시장이 열릴 것으로 예상된다.

비만치료제 위고비가 식품/외식에 위기로 다가오고 있다.

대체제의 대변환

Preference

꿈의 비만약 위고비가 15일부터 국내 출시되었다. 출시 첫날부터 비만 클리닉, 성형외과 등에 처방 문의가 쇄도하고 있어, 시작부터 품귀 현상이 일어나고 있다. 세계적으로도 품귀 현상이라 한동안 국내 공급 물량이 충분하지 않아, 병의원들이 앞다퉈 초도 물량 확보에 총력을 기울일 것으로 보인다.

비만치료제 위고비(AP 연합뉴스)

위고비는 세계적인 기업가 일론 머스크가 14kg을 감량하는 과정에 위고비와 간헐적 단식이 크게 영향을 주었다는 언급에 더욱 유명세를 타게 되었다.

특히, 미국과 같이 성인 10명 중 4명이 비만인 나라에서 효과성이 우수한 위고비는 선풍적인 인기를 끌 수밖에 없었고, 비만 및 다이어트 시장을 급변하게 만들고 있다.

위비고 투약 후 변화된 일론머스크(중앙일보)

위고비는 1925년에 설립된 덴마크의 거대 글로벌 헬스케어 및 제약회사인 노보 노디스크사(Novo Nordisk)에서 개발했다. **노보 노디스크의 최근 주식 시가총액은 약 550조 원으로 유럽 최고 루이뷔통(LVMH)을 앞지르며 1위**를 달성했다. 본사가 소속된 국가인 덴마크의 GDP보다도 큰 금액이고, 국내 1위 삼성전자 355조 원 보다도 크게 앞서고 있다. 그만큼 **미래 헬스케어 시장이 얼마나 성장할 지에 대해 자본시장에서 미래를 보여주고 있는 것이다.**

비만은 더 이상 외모와 미용의 문제만이 아니다. **다양한 질병과 성인병의 근원적 원인이다. 헬스케어 시장이 지속적 성장하는 배경도** 되고 있다.

헬스케어시장이 성장하는데 게임 체인저로 비만약이 출시되면서 놀랄만한 시장의 변화가 일어나고 있다. 1980년대 에어로빅 열풍에서 시작된 다이어트 산업은 4차 산업혁명과 함께 진화하면서 스마트폰 앱을 통한 체중 관리 방식으로 발전했고, 코로나19 이후 더욱 확대되면서 디지털 헬스케어 분야에서 중요한 위치를 차지하고 있었다.

하지만, 최근 다이어트 산업은 물론이고, 다이어트를 도와주는 헬스케어 앱들이 위기를 맞기 시작했다. 더불어 식품과 관련된 산업들도 많은 리스크에 노출되고 있다. 그 원인은 효과적인 비만약의 출시 때문이다.

위고비는 인체 내 GLP-1(Glucagon-like peptide-1)이라는 호르몬에 작용해 인슐린 분비를 자극하고 포만감을 높인다. 배고픔을 줄여 체중 감량을 유도하는 원리라 향후 식품산업에 미치는 영향이 매우 클 것으로 보인다.

투자은행 모건스탠리의 보고서에 따르면, GLP-1을 복용 중인 소비자 300명을 대상으로 설문조사를 진행한 결과, 상당수가 체중 감량 초기 단계에서 음식량과 지출에 변화를 보였다고 전한다.

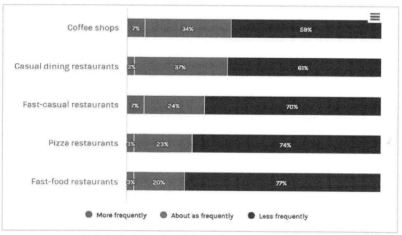

복용 후에 외식군별 소비의 변화(모건스탠리 홈페이지)

참여자 63%가 GLP-1 복용 후, 외식 지출이 감소한 것으로 나타났다. 배달 음식도 61%가 이용을 줄였다고 한다. 전체 식료품 지출도 GLP-1 복용

전과 비교해 지출을 줄였다는 응답자는 31%로 나타났다. 특히, 건강에 해로운 음식과 고지방, 고단백, 고염도 옵션에 대한 수요가 많이 감소할 것으로 언급했다.

GLP-1은 음식을 소비하는 형태에도 영향을 미쳤다. 응답자 86%가 외식할 때 음식 먹는 양이 줄었다고 답했다. GLP-1의 가장 큰 효능이 식욕억제라는 장점을 볼 때 당연한 결과이고 향후 미래를 예측할 수 있는 응답결과인 것 같다.

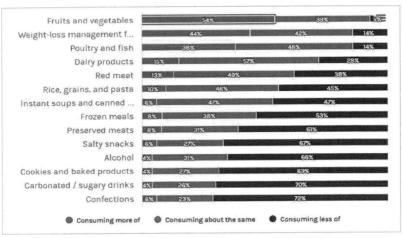

복용 후에 식품 카테고리별 소비의 변화(모건스탠리 홈페이지)

술과 탄산음료 섭취에도 영향을 미쳐, 응답자 50%가 술과 탄산음료, 스낵류 등 짠 간식 섭취를 50% 이상 줄였으며, 20%는 아예 술을 끊었다고 답했다. 특히, 설탕과 지방이 많은 음식을 가장 많이 줄였으며, 과자, 음료, 구운 식품의 소비는 최대 2/3까지 줄였다.

아이스크림과 탄산음료, 케이크, 과자류, 초콜릿, 냉동 피자 등은 향후

업계에 큰 변화가 있을 것이라 생각된다.

실제 위고비 등장 이후 세계 1위 식품회사 네슬레 주가는 23%가량 하락했었다. 결론적으로 인구까지 감소하고 있는 수축사회로 접어든 국내에서 효과적 비만약 확대는 식품과 외식산업에 중장기적으로 큰 리스크로 작용할 것이다. 하지만, 기존의 인스턴트식품의 이미지를 벗어나 케어푸드 시장에 본격적으로 진출한다면 새로운 기회는 열릴 것이다.

앞에서 언급한 바와 같이 헬스케어 시장은 국가가 선진화되면서 더욱 관심과 규모가 확대되고 있다. 그 중심에는 케어푸드가 큰 역할을 할 것이며, 새로운 미래 시대를 열 것이다.

약을 통해 제어하는 것은 부작용과 먹는 즐거움을 만족시키는데 한계가 있다. 기존의 **치료식을 넘어서 빅데이터, 3D 프린팅 등의 푸드테크와 연계한 균형 잡힌 영양 공급과 소비자의 영양상태를 체계적으로 분석하여 맞춤형 식단을 제공**한다면 케어푸드도 위비고와 같은 놀랄 만한 미래시장을 열 것이다. 특히, 성인병 예방과 다이어트 부문으로 시장성은 무한한 성장성이 예상된다.

성인병 예방과 다이어트 영역으로
확대되는 케어푸드!

헬스케어 산업

Preference

국가가 선진화되면서 건강과 수명에 대한 관심이 매우 고조되고 있다. 이로 인해 미래 식품시장은 케어푸드가 상당한 역할을 할 것이라 예상되고 있다.

특히, 대한민국은 본격적으로 고령화 사회에 진입하면서 그 관심도가 더욱 증가되고 있다. 65세 이상의 인구는 2024년 7월부로 1,000만 명을 넘어섰고, 2025년이면 인구비중이 20% 이상을 차지하는 초고령사회 진입이 확실시된다. 여기에

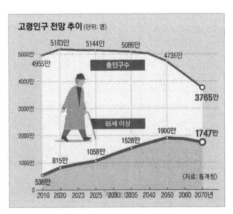

고령인구 전망 추이(서울신문)

코로나19 이후 건강 중시 트렌드로 케어푸드가 일반층으로까지 확대되면서 케어푸드 시장의 가능성은 한층 증가되고 있다.

이러한 예측은 일본의 케어푸드시장을 보면서도 어느 정도 예측 가능하다. 일본은 1994년 고령사회 진입 후, 2010년에 초고령 사회로 접어들었다. 일본은 이미 1990년대 케어푸드가 도입되었으며, 그 규모가 지속적으로 확대되고 있다.

1990년대는 노인복지시설 중심의 안정된 품질과 위생, 영양을 기반으로 한 B2B 전용제품에 기반을 두었다면 2000년대 이후부터는 본격적으로 B2C 제품으로 확대되었다.

또한, 1947년에서 1949년 사이에 태어난 베이비붐 세대인 단카이세대는 이런 변화에 가속도를 붙였다. 이 세대는 제2차 세계대전 직후 일본의 급격한 인구 증가 시점으로 약 800만 명이라는 엄청난 숫자의 인구가 태어났다.

단카이세대는 일본의 사회적, 경제적 흐름에 중요한 영향을 끼쳤으며, 새로운 소비문화와 라이프스타일을 만들었다. 1970년대 단카이세대가 주요 소비 층으로 등장하면서 자동차, 주택 등의 대형 소비재 시장 확대에 기여했고, 2010년 이후는 고령층의 중심으로 떠오르면서 여가 생활과 건강에 관심이 많아지면서 관련 산업이 크게 성장하는 계기를 만들었다.

이처럼 일본의 사례는 대한민국에 시사하는 바가 매우 크다. 인구통계학적으로 초고령사회에 접어든 것뿐만 아니라, 일본의 단카이세대처럼 국내도 1960년 전후의 1차 베이비붐시대가 고령층의 중심으로 접어들고 있다.

국내의 1차 베이붐세대도 대한
민국의 경제와 문화를 이끌어간 주
체이고, 과거와는 달리 자식에게 의
존하지 않는다.

경제적 측면에서도 **막강한 구매
력을 보이는** 세대로 **건강 관리 및
여가관리** 등에도 관심이 매우 크며
**독립적으로 자신의 삶을 즐기는 액
티브 시니어(Active Senior) 계층**이다.

순자산추이(머니투데이)

이러한 액티브 시니어 주도하에 국내 실버산업 시장은 2020년 72조 원
에서 2030년 168조 원으로 증가할 것으로 한국보건산업진흥원은 예상한
다. 연관된 **케어푸드시장도 2021년 2조 5,000억 원에서 2025년에 3조 원
으로 확대**가 예상되고 있다.

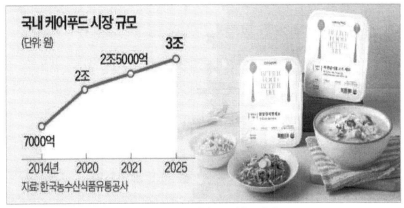

국내 케어푸드 시장 규모(한국경제)

과거 치료식(특수영양식품+특수의료용식품)에 한정된 범주에서 예방과

건강 중심의 고령친화식, 일반 소비자용 맞춤형 영양식 등으로 확대되면서 폭발적 성장이 일어나고 있다. 특히, 푸드테크와 연결한 케어푸드시장은 식품산업에서 미래 성장동력으로 작용하고 있다. 먹는 즐거움을 유지하면서 건강 및 예방을 체계적으로 관리할 수 있는 구조화를 만들어 내고 있다.

3D 푸드 프린팅에서도 언급했지만, 과거 환자들에게 영양소를 공급하기 위해 만들어진 유동식 형태의 음식에서 간편하면서도 맛과 풍미를 느낄 수 있는 정형화된 음식으로 진화해 가고 있다.

마이 헬스웨이 시스템 구성안(보건복지부)

최근에는 빅데이터를 통해 소비자의 영양상태를 체계적으로 분석해 맞춤형 식단을 제공하는 서비스 등이 나타나고 있다.

정부, 병원 등과 연계한 **마이데이터 사업의 경우는 개인의 건강검진 정보를 기반으로 고객의 영양상태와 질병, 식습관 등을 분석해 최적의 보충**

이 필요한 영양소, 식이요법 등과 함께 케어푸드를 개인 맞춤형으로 제공하는 것이다.

이러한 시스템은 질병을 치료하고 퇴원하는 환자와 재발을 방지하기 위해 지속적으로 식단관리를 하는 환자에게도 매우 큰 도움이 된다. 예를 들자면, 암수술을 받은 환자가 병원에서 회복 후에 얼마 있지 않아 집으로 퇴원을 한다. 입원 중에는 병원의 치료식을 통해 식단을 관리할 수 있으나, 퇴원 후에는 스스로가 관리를 해야 한다.

하지만, 전문성 부족과 체계적 관리상의 한계로 지속적인 식단관리에 어려움이 있을 수밖에 없다. 이런 문제점을 퇴원 후에도 마이데이터 기반 질병 개선에 적합한 맞춤형 식단을 정례적으로 공급해 주는 서비스가 활성화된다면 많은 질병으로부터 회복 및 재발을 방지하는 환자에게 매우 큰 보탬이 될 것이다.

아직은 활성화되지 않았지만, 이 시장은 향후 엄청난 규모로 성장할 것이다. 앞에 언급한 암환자만 보더라도 국내 1년 동안 발생하는 환자수가 2021년 기준 총 277,523명이다. 한해 출생률보다도 높다.

우리나라 국민들이 기대수명인 83.6세까지 생존할 경우, 암에 걸릴 확률은 38.1%였으며, 기대수명이 80.6세인 남자는 5명 중 2명이며, 86.6세인 여자는 3명 중 1명이 암이 발생할 것으로 추정되는 것이다. 국내만이 아니라 미국도 남자는 5명 중 2명인 40.2%이며, 여자는 8명 중 3명인 38.5%이다. 국내를 넘어 글로벌 시장까지 바라본다면 상상할 수 없을 정도의 큰 시장규모이다.

이것도 암에 한정된 시장일 뿐이지, 다른 질병까지 확대해서 본다면 그 규모는 짐작하기도 쉽지 않다.

'크로거 헬스(Kroger Health)'는 지난해 9월부터 전문기업인 '퍼포먼스 키친(Performance Kitchen)과 제휴, 개인 맞춤형 영양식 프로그램을 제공하고 있어요.

크로거(Kroger)의 헬스케어 사업부문인 크로거 헬스는 미국 35개 주에 약 2,200개 약국과 220개 클리닉을 운영하며 연간 1,700만 명의 고객에게 의료서비스를 제공하는 등 활발한 사업을 전개하고 있습니다. 의사, 간호사, 영양사 등 근무하고 있는 의료계 종사자 수만 24,000명에 이르죠. 고객들은 맞춤형 영양식 프로그램을 통해 크로거 헬스의 영양사와 상담하고, 자신의 건강 상태와 니즈에 맞는 식사를 선택할 수 있어요. 퍼포먼스 키친의 의사, 영양사, 요리사 등으로 구성된 전문가 그룹이 체중관리, 운동 효과 향상 등은 물론 당뇨나 심장병, 암과 같은 질환을 앓고 있는 고객들을 위한 맞춤 케어 식단을 제공하며, 고객은 크로거 매장이나 온라인 플랫폼을 통해 주문할 수 있어요. 식사는 간단하게 데워 먹을 수 있는 냉동상태로 제공됩니다.

Retail Talk 2024. 05. 28 유통업계 웰니스 비즈니스 내용 중

여기에 엔데믹(Endemic) 이후부터 젊은 세대를 포함해서 다양한 세대까지 건강에 대한 관심이 증가하면서 일상생활에서 체계적 건강한 식단의 니즈는 케어푸드 시장을 더욱 매력적으로 만들고 있다.

고단백질 음료의 경우 처음 기획의도는 고령층을 위한 식사대용식으로 출시되었으나, 단백질 함량이 높아 운동 및 체중관리를 하는 젊은 세대에

게 인기를 끌면서 다이어트용 케어푸드 제품으로 확장된 모습은 대표적인 사례이다.

다양한 환경변화로 식품산업에 위기는 올 수 있다. 하지만, 미래 트렌드를 읽고 선제적으로 사업전략을 추진한다면 위기는 더 큰 기회를 만들 수 있다. 식(食)의 산업은 인류가 존재하는 한 변화는 있겠지만, 절대 사업의 주체를 실망시키는 축소는 없을 것이다.

5장. 활성화된 푸드테크 밸류체인(Value Chain)

대한민국에 남아 있는 성장 가능한 시장은? 식자재유통!

블루오션 시장

Preference

대한민국에 남아 있는 성장 가능한 시장은 있을까?

아마도 대다수의 시장은 산업화가 이루어졌고 성숙단계 돌입해 있을 것이다. 더욱이 대한민국은 2017년 이후부터 생산가능인구(15세~64세 인구)가 축소되고 있으며, 심지어 출생률 (2023년 기준 0.723) 급감 등으로 이제는 인구가 감소하는 현상까지 나타나고 있다. 대한민국은 과거 팽창사회는 역사 속으로 사라졌고, 이제는 **끊임없이 축소되는 수축사회로 진입**한 것이다.

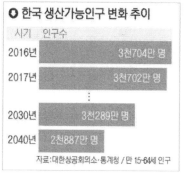

생산가능인구 추이(부산일보)

현재는 생산과 공급만으로 사업을 성공하는 것은 불가능하다. 오직 고객

지향적 차별화되고 특화된 상품과 서비스만이 변화하는 시장에 성공하는 길이다.

이런 가운데 참 특이한 시장이 국내에 존재하고 있다. 아직까지도 시장이 **전혀 산업화가 완성되지 않은 식자재유통** 시장이다.

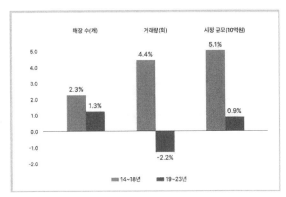

코로나 전후 국내 외식시장 연평균 성장률 비교(리테일톡)

물론, 시장 자체만으로는 성장성은 크지 않다. 식자재유통 시장은 외식산업과 연계하여 성장하므로 현재와 같이 외식산업의 성숙기가 접어든 상황(유로모니터 자료에 의하면 코로나 이전인 2019년과 비교하면 2023년 전체 시장은 3.7% 성장했지만, 물가상승에 따른 외식비 상승분을 감안하면 역 신장 수준)에서 식자재유통도 동일한 수준을 보일 것이다.

그러나, 기업 및 선진화된 새로운 사업을 모색하는 입장에서 식자재유통은 무궁한 잠재력을 가지고 있는 블루오션이다. 산업화가 본격화될 시, 놀랄만한 성장이 가능할 것으로 예상된다.

현재 식자재유통 시장은 약 64조 원 규모로 예상되고 있는데, 이중에 **기업형 식자재유통 시장의 규모는 16%**에 불과하다. 대다수의 시장이 지역 내 영세한 자영업자 중심으로 구성되어 있고, 아직까지도 관계를 통한 시장으로 형성되어 있기 때문이다. 결론적으로 84%의 시장이 산업화를 통해 새롭게 창조될 수 있는 잠재시장이다.

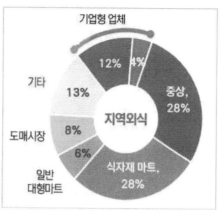

식자재구매 유형(KB증권)

하지만, 식자재 유통업계는 새로움 보다는 기존에 안주하면서 극복을 위한 변화에는 매우 더딘 행동을 보여 왔다. 대규모 접근 가능 시장이 있음에도 불구하고 누구도 지배하지 못하는 상황이 지속된 것이다.

B2C 소매유통이 1990년대부터 창동 이마트를 시작으로 1997년 IMF를 겪으면서 시대적 환경 변화에 급속도로 적응하면서 폭발적으로 성장한 모습과는 대조를 이룬다. 현재 B2C 경로는 할인점을 시작으로 SSM(Super SuperMarket), 창고형 매장, 쿠팡 및 마켓컬리와 같은 온라인으로 이어지는 산업화를 넘어서 매우 빠르게 진화하고 있다.

하지만, B2B 식자재 유통 시장은 B2C 유통시장이 산업화가 시작한 지 30년이 지난 상황에서도 큰 변화를 보이지 못하고 있는 것이다. 물론, 2000년부터 대기업의 시장 진출로 지속적으로 상승은 하고 있으나, 그 속도가 매우 느리다.

2001년 기업화 수준이 1%에서 2010년 8%, 현재 약 16%까지는 상승했으나, 미국의 40%에 비하면 매우 낮은 수준이다.

그래서 **식자재 유통시장은 국내에 산업화가 완성되지 못한 유일하게 남은 대규모 시장**이며, 향후 성장성으로도 매우 잠재력이 높은 산업군이다. 이렇게 변화가 더디게 일어나고 있는 식자재유통 시장도 시대적 환경에 맞게 급변의 기조가 보이고 있다. 가장 큰 요소는 식자재유통의 핵심 고객인 **외식업의 주체가 빠른 속도로 변화**하고 있는 것이다.

얼마 전까지도 40대 중후반에서 50대가 외식업을 운영하는 주요 연령대로 인터넷과 체계적인 시스템보다는 관계와 구두상으로 이루어지는 거래에 익숙한 세대였다. 정보력을 바탕으로 최적의 경쟁력 있는 상품을 구매하기보다는 인근의 접근성 편한 곳과 기존의 인간적 관계로 맺어진 업체를 변화 없이 이용한다. 주문 및 배달형태도 전화 주문 후 배달을 받는 과거 형태의 모습이 54.8%에 이른다.

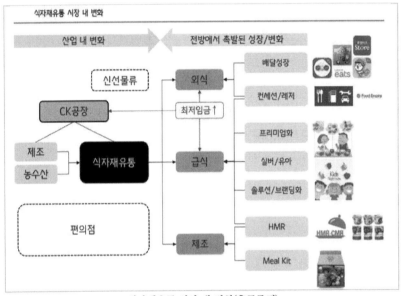

식자재유통 시장 내 변화(흥국증권)

하지만, 시대가 바뀌고 있다. MZ세대들이 외식업 창업에 많이 진출하고 있으며, 식당들도 빠르게 기업형 프랜차이즈로 전환되고 있는 것이다.

두 번째로는 전방산업인 외식산업과 식품제조 등이 푸드테크라는 새로운 기술의 접목으로 본격적으로 변화를 맞이하는 것과 같이 식자재 유통도 생존을 위해 변화가 불가피할 것으로 예상된다. **전방산업에서 촉발된 변화가 후방산업인 식자재 유통에도 급속도로 변화를 야기할 것으로 예상된다.**

마지막으로 외식산업은 경기악화와 소비침체로 수익성이 매우 악화되고 있는 환경이다. 외식업체들은 이 어려움을 극복하기 위해서 단기적으로 **비용 구조상 가장 높은 비중을 차지하는 식재료 비용 절감**에 초점을 맞출 것이다.

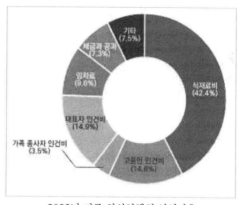

2022년 기준 외식업체의 영업비용
항목별 비중(농촌경제연구원)

2022년 기준 외식업체 평균 비용구조를 보게 되면 식재료비가 42.4%로 가장 높은 비중을 차지하고 있다. 최근 들어서는 식재료 인상이 매우 높게 나타나고 있으므로 아마도 식재료 비중은 더 높게 상승했을 것이라 판단된다.

블루오션 식자재유통의 산업화는 1차상품이 시작이다!

핵심역량은 1차상품

Preference

다양한 외식산업에서의 환경변화로 식자재 유통산업에도 큰 변화가 발생하고 있다. 또한, 변화의 속도도 시간이 지남에 따라 매우 빠르게 나타나고 있다.

이미 대형 외식업체 및 프랜차이즈는 물론이고, 영세한 자영업자들도 경쟁력 확보 차원에서 최우선으로 식재료 구매에 집중하기 시작했기 때문이다. 과거와 같이 비계획적 구매와 인간관계에 의해 변화 없이 구매를 하는 모습에서 과감히 탈바꿈하는 것이다.

외식산업 변화는 **식자재 유통사업도 경쟁력 확보를 위해 공급망 체계 (Supply Chain)를 효율화하며, 유통업체 간 통폐합과 산업 내 수직적 계열화를 통해 시너지 창출 및 역량 강화**를 만들어 가기 위한 본격적 시도가 시작했다.

공급망 체계(구글이미지)

더 나아가서 고객들에게 **차별화된 서비스 강화를 위해 맞춤형 식재료 개발을 활성화**하는 중이며, 과거처럼 **단순 원물중심 공급에서 좀 더 부가가치 있는 상품으로 공급을 확대**하는 것이다. 주요 고객인 식당들이 100% 원물을 통해 식당에서 직접 만들어지는 수제만을 고집하는 시대는 지나가고 있기 때문이다.

결국 식자재도 인건비와 연계한 전처리, 반조리, HMR 등의 센트럴키친(Central Kitchen) 상품으로 관심이 집중될 것이며, 좀 더 먼 **미래에는 유통사업자에서 메뉴 디자이너(Menu Designer)로 변화**를 추구할 것이다.

식자재유통의 산업화를 이끌기 위해 첫 번째로 언급했던 식자재 공급망 체계 효율화에 대해 알아보겠다.

단위: %, %p

구분	구인난		영업이익 부문				
	조리(주방)	홀서빙/카운터	식재료비 상승	임차료 상승	인건비 상승	경쟁 심화	제도적 규제
2022	52.0	55.9	87.9	73.7	75.3	79.3	70.8
2023	48.1	53.2	91.4	77.3	75.2	83.9	74.9
등락률	-3.9	-2.7	3.5	3.6	-0.1	4.6	4.1

외식업체 경영상의 어려움(한국농촌경제연구원)

최근 들어 음식점을 운영하는 영세 자영업자들이 과거와 같이 큰 고민

없이 식재료를 구매하는 것이 아니라, 다양한 루트와 온라인상의 많은 정보를 찾아가면서 구매를 하기 시작했다.

이런 변화는 **식자재 유통산업 속에 다양한 주체들이 투명성을 기반으로 한 새로운 비즈니스 모델을 만들게 하는 계기**를 부여하고 있다.

이와 관련 정부, 대기업, 스타트업 등이 다양한 정보시스템 구축을 넘어서 오픈마켓을 통해 실시간 가격 비교를 통해 구매를 할 수 있는 환경까지도 조성하고 있다. 또한, 빅데이터 기반으로 이력추적시스템 구축은 표준화와 규격화되어 있지 않으며 품질과 잘 연동되지 않는 가격체계를 좀 더 신뢰할 수 있도록 강화하고 있다.

정부까지도 이러한 문제점을 잘 이해하고 있어서 국가차원에서 지속적으로 유통구조 개선을 추진 중이다. 그런데 가장 큰 어려운 점은 농산물, 축산물, 수산물과 같은 1차상품이다.

현재도 구시대적 공용도매시장을 통한 경매제도로 50% 이상 유통되고 있으며, 가격도 경매 낙찰가를 기준으로 매겨지고 있다.

이런 과정을 통해서 유통단계는 복잡해지고 유통비용도 증가하며 실제 농민들이 출하한 가격보다 상당 부분 오르게 된다. 이는 유통 과정에서 중간 유통업체에만 수익이 집중되고, 실제 생산자인 농가와 소비자인 식당 운영 주체에게는 혜택이 돌아가지 않는 것을 의미한다.

1차상품 유통과정의 문제점은 식자재유통 선진화에 가장 큰 걸림돌이다. 왜냐하면 식재료 구매비 중 1차상품 비중이 너무 높기 때문이다.

(단위: 개, %)

구분		사례수	밥	곡류 (쌀 제외)	채소	과일	축산물	수산물	가공식품 (공산품)	기타	주류/ 음료
전체		1,090	11.5	3.5	15.0	0.8	24.7	14.7	14.7	4.7	10.4
한식 세분류	한식 일반	481	13.1	2.9	15.9	0.8	22.6	14.8	14.7	4.8	10.3
	한식 면류	176	6.5	11.6	15.0	1.0	12.4	9.7	29.5	6.6	7.8
	한식 육류	270	9.3	2.7	13.5	0.8	43.5	3.6	11.2	4.1	11.2
	한식 해산물류	163	10.7	2.7	12.3	0.7	5.7	43.0	10.4	3.7	10.8

2023년 외식업체(한식) 식재료비 중 상품군별 비중(한국농촌경제연구원)

특히, 일반음식점 중 82.5%를 차지하는 한식 업종만 보게 되면 더욱 심각하다. 식재료 상품군별 비중을 보면 **농산물(곡류 포함), 수산물, 축산물인 1차상품이 82.5%**를 차지하고 있다.

현재의 기업형 유통업체가 가공상품과 비식품을 중심으로 직접 납품하는 프로세스를 만든다고 해도 1차상품이 변화하지 않으면 큰 의미가 없다.

어떻게 보면 현재 CJ프레시웨이, 푸디스트, 삼성웰스토리 등의 식자재 유통 대기업들이 산업화를 이끌지 못하는 가장 큰 원인이기도 하다. 물론, 기업차원에서는 산지직거래 및 계약재배 등을 통해서 문제점을 해결하고 사업을 주도하고자 노력하고 있다. 하지만, 국내 농업은 운영 상 소작농 중심의 소규모이고 생계형 어르신들이 주축이 되어 있어 이러한 변화에 공감되기가 쉽지 않다.

그런데 이런 1차상품에 변화의 움직임을 보이고 있다. 농산물은 정부 주도로 온라인도매시장을 통해 투명성과 유통비용을 줄이기 위해 과감한 투자를 하고 있고, 축산물은 스타트업이 산업화를 이끌기 시작한 것이다. 이러한 진행사항과 변화의 모습은 다음장에서 좀더 구체적으로 알아보겠다.

축산물 산업화를 이끄는 스타트업 플랫폼, 미트박스!

축산물에 접목된 오픈마켓

Preference

티메프 사태 이후 이커머스에 대한 부정적 생각과 투자 심리가 얼어붙은 상황에서 B2B 축산물플랫폼 미트박스글로벌이 상장을 추진하고 있다.

아직 성공여부를 판단하기는 이르지만, 컬리를 포함한 B2C 경로도 상장의 어려움을 겪고 있는 현상에서 B2B 온라인유통플랫폼이 이커머스업계 최초로 국내 증권시장 상장을 추진하는 것은 매우 의미가 크다.

처음 미트박스 플랫폼이 세상에 나왔을 때 부정적 견해가 많았다. 비즈니스 모델과 방향성은 높게 평가되었지만, 1차상품에서 자리매김한다는 것은 쉽지 않을 것이라는 의견이 전반적이었다. 하지만, 어려운 환경에도 불구하고 2022년에 흑자전환을 필두로 2023년 매출액은 669억 원, 영업이익은 26억 원을 달성했으며, 올해 국내 증시에 상장까지 추진한다는 것은 B2B사업을 오랫동안 경험한 저자로서는 찬사를 보내고 싶다.

우선, 미트박스글로벌 성공사례를 보기 전에 국내 축산물 유통구조 현황을 보겠다.

축산물은 국내 음식점 중 다수를 차지하는 한식에서 식자재 구매액 비중이 무려 24.7%에 이른다. 식자재 중 가장 큰 비중을 차지하고 있다. 하지만 축산물 유통구조는 몇 년 전까지만 해도 마장동과 독

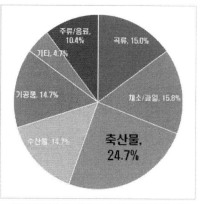

외식업체(한식) 식재료비 중 상품군별 비중

산동 등의 도매시장 중심으로 투명성이 매우 낮은 거래형태로 이루어지고 있었다.

그런데 최근 들어 정부기관과 스타트업을 통해 비합리적 구조의 어려움을 극복한 새로운 온라인 사업모델 기반으로 한 혁신 모델들이 등장하기 시작했다. 이들은 합리적이고 투명성을 보장한 창의적 유통구조를 제공하고자 한다. **온라인을 통해 유통 채널의 한계를 극복하면서, 유통단계 축소, 거래비용 감소 및 다양한 정보 제공을 통해 기존 유통구조의 비효율성 개선**을 촉진하고 있는 것이다.

이런 스타트업의 대표적 기업이 공급자와 구매자를 연결해 주는 중개 플랫폼 모델을 만들어 낸 미트박스이다. **미트박스**는 중소형 외식업체가 식재료 구매를 하는데 좀 더 경쟁력 확보를 돕기 위해 만들어진 **직거래 오픈 플랫폼**이다. 축산물 중심 직거래 플랫폼으로 생산자와 소비자를 온라인으로 직접 연결해 불필요한 유통 마진을 걷어냈다.

또한, 축산물이 아직까지도 유통 상 불투명성으로 정보력 약한 중소형 식당들이 매우 비합리적으로 축산물을 구매하는 것을 개선하고자 만든 플랫폼이다.

미트박스는 2014년 김기봉대표가 설립했다. 김기봉대표의 언론 인터뷰 내용을 보면 김대표는 대기업에서 오랫동안 축산물 MD(Merchandiser)를 했으며, 한때는 보쌈 프랜차이즈를 직접 운영하기도 했다.

김대표는 식당을 하면서 원가보다 훨씬 비싼 가격으로 고기를 구입해야 하는 것이 이해가 되지 않았다. 육류의 가격이 중간 상인들을 한번 거칠 때마다 무섭게 뛰었기 때문이다.

미트박스 애플리케이션(미트박스 홈페이지)

대기업 구매업무 경험이 많았던 그는 30% 이상 부풀려진 가격으로 고기를 사는 것이 너무나 답답했었다.

실제 축산물품질평가원 발표 자료에 따르면 **축산물의 최종소비자 가격 중 유통비용이 차지하는 비율은 평균 40% 이상**으로, 절반에 가까운 비용이 유통에서 발생된다고 한다.

육류 생산자가 제공한 제품은 여러 유통망을 거쳐 식당으로 배달되며, 이때 제품 보관 및 운송 비용, 유통 마진이 추가돼 비용이 계속 올라가는 구조다. 그래서 불합리한 유통구조 해결을 위해 디자인한 것이 축산물 전문의 B2B 유통 플랫폼이었다.

축산물 생산자와 식당을 운영하는 자영업자를 연결하는 모델로 미트박스는 중간 상인을 거치지 않고 육류 생산자와 소비자를 직접 연결시켜 투명한 가격 정책, 양질의 공급업체 확보라는 장점을 앞세워 사업 규모를 빠르게 키웠다.

미트박스의 비즈니스 모델은 크게 3가지로 분리된다. 식당의 운영주체가 축산물 구매를 하는데 힘들어하는 Pain Point를 해결하는 방안을 기준으로 설계했다.

첫 번째 Pain Point는 **유통구조의 복잡성**으로 인한 축산물 가격 상승의 문제이다. 두 번째는 축산물 가격 정보가 자영업자들에게 전달되지 않은 **정보의 비대칭성**이다. 마지막으로 기존 식당들의 **외상 거래 관행**으로 유통업체를 쉽게 바꿀 수 없는 문제점이다.

첫 번째 문제점은 **유통단계 축소의 전략방향**으로 해결책을 찾았다. 국내산 축산물은 매우 많은 다단계 유통구조 및 각 참여 주체의 영세성과 지역적 분산화로 인해서 소매가격 상승과 산지와 소비자 간 가격 연동성이 매우 낮은 수준이다. 수입축산물도 매우 많은 유통도매상을 거치면서 가격이 불필요하게 상승하고 있다. 해외 직수입을 하고자 하면 매우 큰 자금이 필요하여 자본력이 없으면 직수입이 불가하다.

아무리 유명한 브랜드의 축산 농가라도 생산, 가공까지만 하고 유통은 중간 유통상에 맡겨지는 것이 국내 축산물 유통의 현실이다. 수입상도 마찬가지다. 1%의 저마진만 남기고 중간 유통상에 판다.

그리고 구매의 마지막 단계인 식당사장도 생산원가를 전혀 모르는 상태에서 어쩔 수 없이 중간 유통상이 납품하는 가격에 축산물을 사야 했다.

미트박스의 사업모델은 이런 중간 유통상을 거치지 않고 **생산자와 구매자를 직접 연결해 주는 서비스**이다. 실제 원생산자와 식당 사장들을 바로 연결하여 축산물 가격을 확 낮추는 방식이다. 축산물 직거래를 통해 원가 비중이 가장 큰 축산물 가격을 줄여 자영업자들의 근본적인 수익 개선이 가능해지게 만들었다.

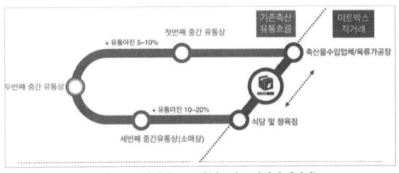

미트박스 유통단계 축소 모델(미트박스 과거 홈페이지)

자영업자들이 비용 절감을 할 수 있게 되자, 입소문을 타고 회원들이 빠르게 늘었다. 2023년 기준 미트박스를 이용하는 자영업자 회원은 약 20만 명을 넘었고, 식당고객은 약 48% 수준인 10만 명을 달성했다. 누계 거래액도 1조 4천억 원을 초과했으며, 올해 예상되는 거래액은 5천억 원 이상 달성이 예상되고 있다.

두 번째 **정보의 비대칭성 문제는 유통시세와 호가관리시스템 도입으로 초기부터 해결**했다. 미트박스는 **직거래 플랫폼을 통해 도매 시세를 투명하게 공개**했다. 기존에 한국농수산유통공사 등도 한우, 한돈 경매가를 공개하지만, 부위별 가격 또는 시세는 제공하고 있지 않아 실제 구매에 활용하기 어려웠다. 또한, 수입육은 경매가격도 아예 알 수 없어서 정보의 비대칭성이 매우 심각했다.

미트박스는 마장동 축산물 도매시장에서 톤 단위로 실제 거래되는 축산물의 실시간 시장 가격을 조사해 이를 공개했다. 수십 여가지 세부적인 부위별 시세가 매일 업데이트된다.

필요한 부위의 개별 가격의 변화 추이를 알 수 있으니, 자영업자들도 시세를 보고 가격 협상력을 높일 수 있게 되었다. 구매자들에게 객관적 정보를 제공하자 일부 중간 유통상들도 시세에 맞춰 가격을 조정하기 시작했다.

다음은 호가경쟁시스템이다. 이 시스템은 **공급업체들이 미트박스 직거래플랫폼에 들어와 팔고자 하는 육류의 부위별, 품질별, KG당 가격을 제시한다. 원산지, 유통기한, 냉장육, 냉동육 등 세부적인 정보**까지 함께 제공한다.

미트박스는 공급자의 제시가격 중 가장 경쟁력 있는 제품을 첫 번째 최저가 순위로 올린다. 구매자뿐만 아니라 공급업체도 실시간 동일 상품에 대한 가격 비교를 할 수 있다.

공급업체들은 경쟁업체와의 가격을 비교한 후 수시로 본인들의 가격을 조정할 수도 있다. 이 과정이 반복되다 보니 자연스럽게 축산물 가격이 저렴하게 형성되도록 만드는 것이다. 유통시세와 호가경쟁시스템은 축산물 유통시장에 투명성과 육류가격에 신뢰성을 상승시켰다.

이를 바탕으로 **수요자는 안정적 수급 및 경쟁력 있는 축산물을 구매할** 수 있고, 공급업체도 상품 경쟁력만 있다면, 많은 고객을 간접적으로 확보할 수가 있었다.

최근에는 미트박스 운영을 통해 모은 시세와 시황, 판매 데이터를 활용한 축산물 도매 시세와 시황 리포트 등을 담은 미트박스 종합지수를 개발했다. 10년간 미트박스를 운영하면서 쌓인 데이터로 만든 지수다. 이를 기반으로 **축산시장 예측 및 고객분석 플랫폼 M.I.T(Meatbox Insight Tech-service)**를 출시했다.

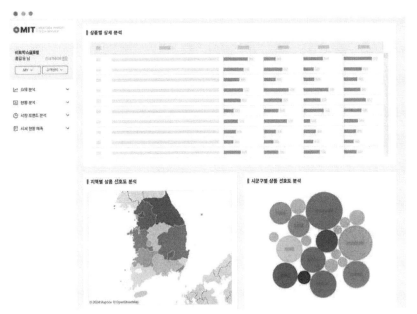

미트박스 M.I.T(미트박스 홈페이지)

상품, 재고, 매출 등 현황 정보와 시장의 트렌드, 이를 기반으로 한 시황 예측, 그리고 고객의 행동 분석 정보까지 제공하고 있다.

세 번째는 **외상거래의 관행이었던 후불제를 선불제**로 과감히 변경했다. 기존 후불제는 공급업체가 식당을 운영하는 자영업자들에게 일단 축산물을 무상으로 제공한다. 식당들은 이 축산물로 영업을 하고 보름에서 한 달 정도 뒤 공급업체에 돈을 지불한다. B2C에서 오래전에 사라진 거래형태가 아직까지 B2B에는 만연하고 있다.

별다른 담보 없이 원가 중 가장 높은 비중을 차지하는 축산물을 공급받아, 영업 후 대금을 주기 때문에 어떻게 보면 자영업자인 식당에게 유리해 보인다.

하지만, 이런 구조는 자영업자들이 공급업체에 종속되는 결과를 낳는다. 외상으로 축산물을 공급받으면 다음 거래 때 거래를 끊고 새로운 업체로 교체하기가 어렵다.

미트박스는 이런 문제를 해결하고자 처음부터 선불제를 도입했다. 자영업자들이 미트박스 플랫폼을 통해 주문을 하고 대금을 미트박스에 지불한다. 다른 온라인과 마찬가지로 에스크로(구매자와 판매자 간 신용관계가 불확실할 때 제3자가 상거래가 원활히 이루어질 수 있도록 중개를 하는 매매 보호 서비스) 형태를 취하는 것이다. 자영업자에게 축산물이 전달되고 상품에 하자가 없다는 것이 확인되면 대금은 공급업체에 지급된다.

끝으로 사업 초기 미트박스의 전략에는 없었지만, 운영상에서 단점을 보완한 중요한 전략방향이 있었다. 미트박스는 본인들이 가지고 있는 강점을 극대화한 것이다. 사실 축산물 특정부위에 대한 전문성은 다른 축산물 유통업체보다는 강하기 힘들었다. 온라인 중개플랫폼이기 때문이다.

만약, 특정부위에 대해 매우 까다로운 사양과 품질을 요구하는 육류전문 식당에 핵심상품을 납품하고자 미트박스가 집중했다면 실패했을 것이다. 특정부위를 주로 취급하는 유통전문업체와 경쟁에서 이기는 것은 쉽지 않았을 것이다.

하지만, **미트박스는 다양한 상품구색과 해당 품목을 다음날 배송해 줄 수 있는 물류 등의 자신들만의 강점에 집중**했다. 그래서 미트박스는 육류 전문식당에 첫 번째 벤더(납품업체)를 지양하고, **두 번째 벤더로 포지셔닝**하며 집중 공략했다.

식당에는 주 품목 부위만 필요한 것이 아니다. 일부 구색용으로 필요한 다양한 부위가 있다. 미트박스는 다양한 품목 구색이 확보되어 있어서 언제든 필요할 때 주문하면 바로 공급해 줄 수가 있었다. 예를 들자면, 돼지 갈빗집에 구색으로 메뉴화 된 부속구이류, 껍데기 등과 같은 축산물을 급하게 필요할 때, 첫 번째 벤더에게 주문할 경우 재고가 없을 확률이 높다. 하지만 오픈마켓인 미트박스는 다양한 공급망을 기반으로 언제든지 납품할 수 있는 구조이다. 간단하지만 정말 자신만의 강점을 집중 공략한 전략이다.

이와 같이 미트박스는 **식당을 운영하는 자영업자에게 맞추어진 철저한 고객 가치경영**을 수행했다. 고객이 무엇을 바라고 있으며 어떻게 구매해 소비하는지에 초점을 맞추어 전략을 추진했다. 이것이 지금의 미트박스를 놀랄 만한 빠른 성장을 이끈 배경이다.

미트박스는 2020년부터는 본격적으로 축산물을 넘어 **전 품목으로 확대**

된 공급을 통해 원스탑 딜리버리(One Stop Delivery)를 추진하고 있다.

취급하는 상품수도 1만 개 이상으로 축산물에 더하여 다양한 가공상품을 확대하고 있으며, 자체 경쟁력 확보를 위한 PB상품도 공격적으로 개발하고 있다. 온라인 직거래플랫폼을 통해 **국내 식자재유통 산업화의 진정한 선구자로 본격적 진출**을 꿈꾸고 있는 것이다.

미트박스의 다양한 식자재 판매(미트박스 주문사이트)

최근 들어 외식사업과 푸드테크 사업을 운영하는 주체들의 전략을 보면 궁극적으로 목표하는 방향은 모두 식자재유통사업을 목표로 하는 것 같다. 국내에 마지막 남은 미 산업화 시장을 장악하여 폭발적 성장과 대기업으로 발돋움하고자 하는 비전을 지향하고 있는 것으로 예상된다.

낙후된 국내 농산물 유통구조에 변화가 시작됐다.

농산물의 디지털 트렌스포메이션

Preference

국내 축산물 산업화는 스타트업을 통해 본격화되고 있다면, 품목과 품위가 매우 다양하고 주관적 판단이 강해 산업화가 어려운 농산물은 정부가 직접 관여를 통해 주도하고 있다.

바로 정부가 지도/감독 하에 한국농수산식품유통공사에서 위탁운영을 하고 있는 농산물 온라인도매시장이다.

국내 농산물 유통구조는 과거 일제강점기 때 들여온 경매제도를 기반으로 도매시장에서 상당 부분의 물동량이 움직이고 있다. 특히, 청과류(과일, 채소류)는 약 53%가 도매시장을 경유한다. 서울에 위치한 가락도매시장 경유율은 약 18% 수준에 이른다.

이렇게 도매시장을 경유하는 경우 매우 큰 비효율성이 존재한다.

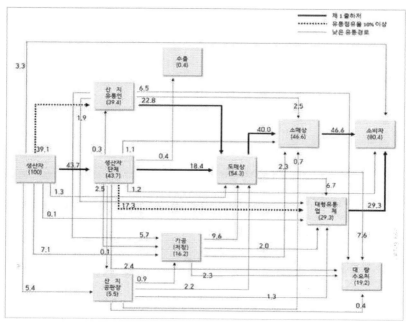

제 1 출하처
유통질유율 10% 이상
낮은유통경로

수출
(0.4)

산지
유통인
(39.4)

소매상
(46.6)

소비자
(80.4)

생산자
(100)

생산자
단체
(43.7)

도매상
(54.3)

대형유통
업체
(29.3)

가공
(저장)
(16.2)

대량
수요처
(19.2)

산지
공판장
(5.5)

청과물 유통경로도(한국농수산식품유통공사)

첫 번째로 **거래 단계마다 상품이 배송되는 상물일치(商物一致) 형** 거래
로 불필요한 유통비용이 증가한다.

예를 들어 양배추는 많은 양이 주산지 전남에서 재배되어 수확되면 다수
가 도매시장 경매를 통해 판매가 이루어진다. 이때 오프라인 상의 경매제
도 이용 시, 해당 양배추 물량도 시장으로 동일하게 이동하게 된다. 이후
중도매인에 매매되면 해당물량은 다시 중도매인에게 전달된다. 이와 같이
상품이 상물일치되어 움직이므로 계속해서 유통비용이 발생하게 된다. 또
한, 잦은 이동은 상품의 품질을 저하시키는 영향도 준다.

두 번째로는 **약 18%가 가락동 도매시장을 통해 경매가 이루어지고 있는**

데, 이렇게 경매된 상품이 다시 지방으로 분산되면서 역물류비용이 추가적으로 발생하므로 비효율성이 매우 증가된다.

아이러니하게 전라도에서 생산된 양배추가 서울 가락도매시장 경매를 통해 다시 전라권역 안에 있는 광주로 이동하여 판매되는 현상이 발생하는 것이다.

세 번째로는 **도매시장 내 개설구역 내 인가된 중도매인들만 매매가 이루어져서 경쟁이 제한**되는 부분이 컸다.

작황이 좋지 않아서 가격이 올라가는 경우가 크지만, 경쟁이 제한된 부분도 일부 원인이 되고 있다. 사실 공영도매시장에서 경매의 주체인 도매시장법인들은 이런 문제점을 해결하려고 노력하지 않는다. 왜냐하면, 공영도매시장은 경매 낙찰가가 높으면 경매 수수료가 늘어나는 구조이기에 경매가가 높을수록 도매시장법인은 이득을 보게 되는 것이다.

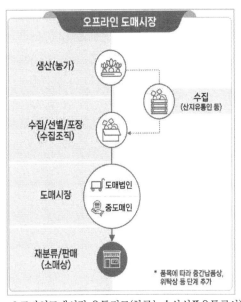

오프라인도매시장 유통경로(한국농수산식품유통공사)

이들 도매시장법인(경매회사)은 사실 특별한 시설투자도 없다. 경매를 주관한다는 이유만으로 해마다 높은 수익을 올리고 있다. 또한, 이들의 지배회사는 대다수가 중견기업 이상이지만, 농산물/유통과는 전혀 관련이 없다.

실제 가락도매시장 내 5대 도매시장법인(농협은 제외)의 2023년 매출액과 영업이익 및 소유권에 대한 전자공시시스템 자료를 보게 되면 다음과 같다.

동화청과㈜는 매출액 392억 원, 영업이익 76억 원이고 최대주주는 신라교역(주)이다. 서울청과㈜는 매출액 331억 원, 영업이익 81억 원이며 최대주주는 고려제강(주)이다. ㈜중앙청과는 매출액 347억 원, 영업이익 79억 원이며, 최대주주는 태평양개발(주)로 범 아모레퍼시픽 그룹 소속이다. 대아청과(주)는 매출액 231억 원, 영업이익 50억 원이며 최대주주는 호반건설을 운영하는 호반그룹이다. 한국청과㈜는 매출액 349억 원, 영업이익 68억 원이며 최대주주는 학교법인 서울학원 일가가 운영하는 경영컨설팅업체인 더코리아홀딩스(주)이다.

이처럼 농산물 및 유통사업과는 전혀 관련성이 없는 회사가 주요 도매시장법인을 운영하고 있다. 이러한 상황에서는 농산물 유통구조의 혁신은 만들어 내기가 쉽지 않을 것이다. 그래서 최근 정부에서 주도한 농산물 온라인도매법인은 기대하는 바가 크다.

또한, 4차 산업혁명시대에 맞게 디지털트랜스포메이션을 추진하는 것은 미래 국내 농산물 유통산업 발전에도 큰 의미가 있은 것으로 판단된다.

유통 투명성과 단계 효율화를 이끄는 농산물온라인도매시장

농산물 온라인 플랫폼

Preference

4차 산업혁명이 유통을 포함한 다양한 산업에 접목되면서 **농산물 유통에도 오프라인의 한계를 넘어 디지털 전환(Digital Transformation)이 가속화**되고 있다.

지난해 11월 정부의 지도/감독하에 한국농수산식품유통공사가 전국단위의 온라인 플랫폼인 농산물 온라인도매시장을 세계 최초로 출범시켰다. 농산물 도매유통에 **디지털 전환을 통해 판매자와 구매자 양방향의 다양한 유통 주체들이 참여 가능하며, 거래단계 축소 및 물**

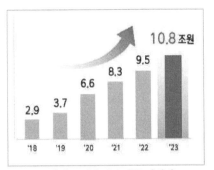

온라인 쇼핑 농축수산물 거래액
(한국농수산물유통공사)

류 최적화가 가능해졌다.

농산물 유통상의 효율성을 높이고 새로운 부가가치 창출은 농민들의 수취가격을 상승시키며, 유통비용 절감을 통해 소비자들에게도 최적의 가격으로 상품을 공급할 수 있게 되었다. **농산물 온라인도매시장의 역할과 방향성은 기존의 오프라인 도매시장의 문제점을 해결하면서 온오프라인상 경계를 무너트리는 것을 목적**으로 하고 있다.

이미 유통에서는 O2O 비즈니스가 보편화되어가고 있고, 최근 들어서 다양한 사업군들에서 버티컬비즈니스(Vertical Business) 모델을 통해 시장 내 경쟁력 강화를 모색하고 있다. 제조업체도 D2C(Direct to Customer) 사업을 통해 소비자와 직접 거래를 시작하고 있으며, B2C 기업은 B2B로 사업영역을 확대하고 있다. 빅블러(Big Blur, 여러 측면에서 동시다발적인 힘이 작용하여 생산자와 소비자 및 기업 별 규모, 가상 세계와 현실 세계, 각종 서비스 분야를 중심으로 서로의 경계가 급속하게 허물어지는 현상) 시대가 본격화되고 있다. 이런 환경변화가 전혀 변화가 없었던 농산물 유통에도 새로운 혁신의 바람을 일으키고 있다.

농산물 온라인도매시장 전략방향은 크게 3가지로 볼 수가 있다. 첫 번째로 **거래 주체 간의 장벽을 제거하므로 유통단계 축소**가 가능하게 되었다.

기존 오프라인 도매시장에서는 허가를 받은 도매시장법인과 중도매인 간의 지정구역 내 거래만 가능했으나, 온라인도매시장에서는 특정지역이나 시장 이외에도 공간의 제한 없이 공판장, 도매시장법인, 산지 출하조직 등이 모두 판매자로 참여가 가능하며, 구매자도 중도매인 이외에 대형마트, 식자재업체, 외식업체, 가공업체 등 다양한 유통 주체들이 직접 참여하여 자유로운 거래가 가능하다.

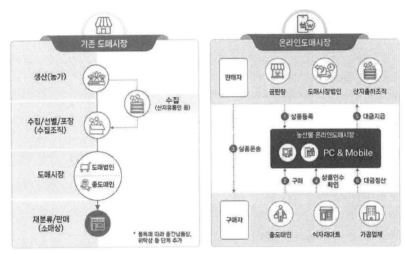

농산물 온라인도매시장 구조와 형태(한국농수산식품유통공사)

결론적으로 생산자는 기존 거래선을 유지하면서 다양한 새로운 판매처를 확보할 수 있게 되며, 구매자는 전국의 상품을 플랫폼에서 비교, 구매할 수 있어 합리적 가격으로 농산물을 조달할 수 있다. 또한, 온라인 특성을 반영하여 24시간 운영 가능하므로, 오프라인 도매시장의 특정 시간에만 운영하는 한계성을 극복할 수 있다.

농산물 온라인도매시장은 시간, 공간, 주체의 3가지 제약사항을 모두 제거할 수 있으므로 양방향 고객 모두에게 최상의 가치를 제공할 수 있는 것이다.

다양성과 편리성 외에도 2~3단계의 유통단계 축소를 통해 유통비용 감

소와 품질관리 상의 문
제점을 최소화할 수 있
다. 또한, 정부 차원의
운영으로 다양하게 발
생되는 수수료율을 최
소화함으로써 추가적

농산물 온라인도매시장 수수료 체계(한국농수산식품유통공사)

인 유통비용 감소를 통해 소비자에게 경쟁력 있는 가격으로 농산물을 제공
할 수 있다.

두 번째로는 **상품의 이동상에 발생하는 문제점을 해결하므로 물류비와
품질을 최적화**할 수 있다.

기존 농산물 오프라인 도매유통은 거래 단계마다 상품이 이동하는 상물
일치(商物一致)의 특성을 가지고 있다. 추가로 가락동 도매시장에 집중되
어 있어 경매를 통한 물량이 다시 지방으로 재분산되는 문제점으로 불필요
한 물류비 발생과 잦은 이동으로 인한 품질 악화와 감모가 발생하게 된다.

그러나 **농산물 온라인도매시장에서는 먼저 거래가 이루어진 뒤, 상품이
이동하는 상물분리(商物分離) 거래가 가능해져 물류 최적화가 가능**하다. 농
산물 가격에 크게 영향을 주는 물류비용 최적화는 농민에게 제값을 받을
수 있고, 소비자에게 합리적 가격으로 농산물을 구매할 수 있게 만들어준
다.

세 번째는 운영상의 효율성과 편리성을 최적화하였다. **정산방식에 있어
서도 판매자에게 거래대금을 선지급하고 구매자에게 후취하는 정산소 여**

신 운영을 통해 거래
주체들에게 자금의 현
금흐름(Cash Flow)에
도움을 준다. 또한, 대
형구매자에게 온라인

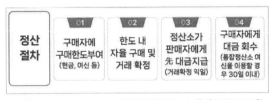

농산물 온라인도매시장 정산방식(한국농수산식품유통공사)

도매시장 결제를 위한 저금리(1.5%)의 자금 융자도 진행하고 있다.

농산물의 특성상 발생할 수 있는 품질의 이슈도 **총 3단계 분쟁조정 과정 체계를 도입하여 마찰을 최소화**하도록 구조화시켰다.

1단계는 당사자 간 자율합의 단계로 플랫폼 내 조정기능을 구현하고 있다. 자율 협의를 통해 원활하게 풀린다면 온라인 도매시장 플랫폼 내에서 물량이나 단가를 조정해 거래 확정을 가능하게 했다.

2단계는 온라인도매시장 중재 단계로 거래중재관이 상품소재 현장을 방문하여 당사자 의견 청취 및 실물 확인 후 품질 매뉴얼에 근거한 중재안 제시를 하는 시스템이다. 공정성을 확보하기 위해 전문 검정사와 경매사가 참여한다.

3단계는 분쟁조정위원회 중재안 의결 및 조정 단계로 외부전문가로 구성된 분쟁조정위원회를 통해 최종 의결을 거쳐 중재안을 최종 통보하도록 설계가 돼 있다.

물류부문에서도 효율화를 위해 물류 전문 플랫폼 운영사업자와 운송데이터 연계를 통해 **최적의 직배송 매칭 서비스도 제공하며, AI 기반 빅데이터 분석을 통해 가격, 혼적기능, 운송노선 등 최적의 물류를 추천**하고 실시간 위치 추적 서비스를 통해 구매자에게 편리성 제공한다.

농산물 온라인도매시장은 올해 거래목표액 5,000억 원 달성에 도전하며, 이용자도 판매자 900개소, 구매자 1,000개소를 타깃으로 순항하고 있다. 물론, 아직 성공을 논하기는 섣부르다. 온라인 특성상 실물을 확인할 수 없기 때문에 양방향 신뢰 구축이 매우 중요하며, 농산물의 특성상 품질과 규격이 주관적이어서 이를 표준화하는 것이 성공을 여는 중요한 포인트다.

국가차원에서 지속적 관심과 투자를 통해 농산물 온라인도매시장이 용두사미(龍頭蛇尾) 되지 않고, 성공적으로 안착시켜, 국내를 **넘어 K푸드와 연계한 글로벌 영역에서 농산물 도매유통의 디지털 혁신**을 이끌어 가기를 바란다.

농산물은 다른 식품과는 다르게
왜 가격파동이 잦을까?

농산물의 가격 탄력성

Preference

다양한 디지털 혁신을 기반으로 농산물 유통구조의 투명성과 단계 효율화를 구축하므로 어느 정도 안정적인 농산물 가격을 유지할 수가 있다. 하지만, 농산물 생산은 인간의 힘으로 제어하거나 피하기가 쉽지 않다. **자연의 섭리에 의해서 발생하는 문제**이기 때문이다.

최근의 이상기후로 배춧값 폭등은 대표적인 사례이다. 9월까지 한 여름과 같은 폭염이 지속되었고, 특정 산지에서는 장마가 길어지는 등의 극단적 기후가 작황에 큰 영향을 주었다.

특히, 배추는 15~20도 기온에서 잘 자라는데 2024년은 밤에도 25도가 넘는 열대야가 추석 이후에도 지속되어 고온에 약한 성질을 가지고 있는 배추의 생장 저하에 치명적 원인이 되었다. 이런 문제는 배추만이 아닌 다양한 엽근채소류에도 비슷한 상황을 만들었다.

배추 가격 추이(헤럴드경제)

그런데 유독 농산물 가격이 다른 식품과는 다르게 왜 그렇게 자주 파동이 일어나는 것일까?

그것은 농산물이 수확량은 쉽게 변할 수 있지만, 사람들의 섭취량은 크게 변하지 않아 **다른 상품보다 수요의 가격탄력성이 낮기 때문**이다.

경제학에서 가격이 변할 때 수요량이 변화하는 정도를 탄력성이라 말하는데, 가격의 변화에 그 상품의 수요량이 크게 변화하면 탄력적이라고 하고, 크게 변화하지 않으면 비탄력적이라고 한다. 이를 **수요의 가격 탄력성**이라고 한다.

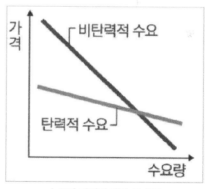

수요의 가격탄력성 그래프

일반적으로 상품의 가격이 하락하는 것은 수요보다 공급이 많기 때문이다. 그리고 공급이 늘어나 상품의 가격이 하락하면 수요량도 함께 늘어나기 때문에 가격이 폭락하는 사태는 쉽게 일어나지 않는다. 그런데 농산물은 풍년이 들어 공급이 늘어나면 가격이 폭락하는 경우가 많다. 반대로 2024년과 같이 흉년이 들어 농산물의 공급이 줄어들면 가격이 폭등하곤 한다.

이는 앞에서 언급한 바와 같이 가격의 변화에 수요량이 크게 영향을 받지 않는 농산물의 특성 때문에 나타나는 현상이다. 쉽게 예를 들자면, 쌀을 주식으로 하는 우리나라에서 풍년이 들어 생산량이 증가하여 쌀값이 떨어졌다고 밥을 더 많이 먹거나, 흉년으로 쌀값이 올랐다고 밥을 더 적게 먹지 않는 것과 같은 이유이다.

따라서 농산물은 사람들의 평소 소비량을 넘어설 정도로 공급이 많아지면 가격이 쉽게 폭락한다. 농산물의 생산량이 20% 증가했다고 가정하면, 가격은 20%만 하락하는 것이 아니라 50% 이상 폭락할 수도 있다. 반대로 생산량이 20% 감소하면, 가격은 20%만 상승하는 것이 아니라 50% 이상 폭등할 수도 있는 것이다.

이런 근원적 문제 해결을 위해서는 크게 두 가지 방법이 있다.

첫 번째는 **농산물에 대한 글로벌 소싱(Global Sourcing)**이다. 최근 정부에서는 물가 안정을 위해 배추를 중국으로부터 10월까지 1,100톤을 수입하여 물가안정에 기여하고자 정책을 수립했다. 하지만, 글로벌소싱은 매우 편하고 쉽게 문제 해결은 가능하나, 세계화에서 자국 우선주의로 바뀌고 있는 국제 정서에는 매우 큰 리스크를 가지고 있다.

몇 년 전 러시아와 우크라이나 전쟁과 코로나19 발생으로 공급망 붕괴와 같은 문제 발생 시, 국가적 위기를 초래할 수가 있다. 또한, 국내 농산물 수입량이 가장 많은 중국은 자국 우선주의를 최우선으로 하기에 언제든 공급의 위기가 올 수가 있다. 그리고 **곡물을 포함한 농산물은 국가 안보차원에서라도 내부적 역량확보**가 반드시 필요하다.

따라서, 두 번째 해결방안인 **냉장/냉동 기술력을 바탕으로 한 보관기술의 강화**가 매우 필요하다. **오랜 시간 저장 시에도 유지할 수 있는 창고보관 기술과 개별급속냉동 IQF(Individual Quick Freeze)**을 통한 장기적 보관 기술을 확보하는 것이다.

특히, IQF 사업은 환경 및 문화적 트렌드 변화에 선제적으로 움직임으로써 미래시장을 주도할 수 있는 매우 중요한 기술이다. 서구 유럽국가에서는 많이 보편화되어 있다. 심지어 중국에도 IQF 시설을 통해 냉동농산물을 생산하는 공장들이 매우 많다.

IQF를 통해 생산된 농산물
(MASI TRADING홈페이지)

실제 국내 식품제조업체 다수가 중국산 IQF 냉동농산물 수입을 통해 안정적 원료 수급을 유지하고 있다.

하지만, 국내에서는 매우 더디게 진행되고 있다. 실제 전처리를 기반으로 한 대형 IQF 시설을 확보한 기업이 많지 않다. 물론 국민들의 의식구조 영향을 받아 투자에 보수적인 것도 사실이다.

얼마 전까지도 국내에서 신선한 채소를 냉동으로 구매한다는 것은 이해하기 어려운 정서였다. 그러나 이런 문화도 변화하고 있다. 1~2인 가구 증가와 갑작스러운 기후변화로 인한 잦은 공급 이슈 발생 등이 변화의 기조를 만들어가고 있는 것이다.

장시간 신선한 맛 그대로IQF 전처리

혁신의 보관기술

Preference

급속냉동법을 바탕으로 대량의 물량을 보관하는 기술은 국내에도 이미 활성화되어 있다.

급속냉동법이란 단시간 내에 식품을 얼리는 것으로, -40℃ 이하의 저온이 사용된다. 일반 냉동 시에는 -20℃ 내외의 저온을 활용하므로 식품의 중심부까지 동결 되는 데는 오랜 시간이

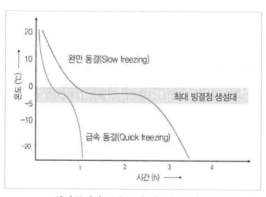

완만동결과 급속동결 비교(물류신문)

소요된다. 예를 들면 우리가 냉장고를 통해 얼음을 얼릴 경우, 조금 지나서 꺼내 보면 겉면만 살얼음이 만들어졌고 중심부는 물인 상태를 볼 수 있다.

이와 같이 완전 냉동상태까지 오랜 시간이 걸리는 완만 동결상태에서는 조직과 세포의 파괴를 막을 수 없어 그대로의 맛과 품질을 유지하기가 어렵다. 하지만, 급속냉동을 활용할 시는 중심부까지 30분 이내 동결이 가능하므로 세포나 조직에 아주 작은 얼음 결정만 생성된다.

따라서 **세포나 조직이 파괴되지 않으며, 세포벽이 손상되지 않아 원형 그대로의 상태**를 제공할 수 있다. 더불어 조직과 영양소 파괴를 최소화하여 본연의 맛과 영양을 유지할 수 있다.

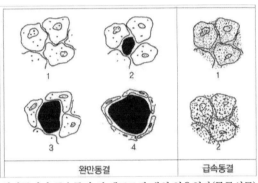

완만동결과 급속동결 시 세포조직 내의 얼음입자(물류신문)

추가로 일반냉동에 비해 **식품의 산화와 탈수현상이 매우 적게 일어나므로 신선상태도 오랫동안 유지**가 가능하다.

급속냉동법 개발자는 1886년 미국 뉴욕시에서 태어난 클래런스 버즈아이(Clarence Birdseye)다. 대학에서 생물을 전공한 그는 미국 농무부의 생물표본 수집 담당직원으로 일했다.

오늘날 '냉동식품의 아버지'로 불리는 그는 알래스카에서 에스키모가 갓 잡은 생선을 바로 얼린 뒤 보관해 몇 달간 요리재료로 쓰는 모습을 본 것을 그냥 흘려버리지 않고 냉동식품 개발에 나섰다. 뉴욕으로 돌아간 그는 알래스카에서 목격한 물고기가 영하의 기온에서 순식간에 냉동됐기 때문에 세포 조직이 손상되지 않았다고 생각했다. 그리고 당시 상황을 재현하기 위해 아이스크림 공장 한구석을 빌려 연구실을 마련했고, 꾸준한 연구를 통해 1925년 급속 냉동기계를 발명해 냈다. 버즈아이가 개발한 급속냉동식품은 '식탁의 혁명'이라 불릴 정도로 오늘날 기여하는 바가 크다. 육류, 생선류를 비롯한 각종 식재료들을 계절에 관계없이 먹을 수 있게 됐기 때문이다.

급속냉동식품 탄생시킨 클래런스 버즈아이 (KISTI의 과학향기 칼럼)

개별급속냉동 IQF(Individual Quick Freezing)는 급속냉동법을 개별로 하나하나씩 냉동을 시키는 방법이다. **개별로 냉동하다 보니 더 빠르게 동결이 이루어져서 식품의 손상이 최소화되고, 식품끼리 붙는 것을 방지하므로 외형 및 사용상의 편리성을 제공**한다.

위에 설명한 바와 같이 급속냉동법을 통한 보관창고 등은 국내에 많이 구축되어 있으나, IQF설비를 갖춘 인프라는 많이 존재하지 않는다. 하지만, 지금부터는 미래를 위해 본격적인 준비가 필요하다.

소비자들도 냉동제품에 대한 거부감이 줄어들고 있고, 개별 낱개상품을 장기간 보관하면서 편리하게 사용하기를 원한다. 더하여 기후변화 등으로 발생하는 잦은 농수산물의 가격파동에 대응해야 한다.

IQF는 개별로 적용한 -40℃ 이하 초고속 냉동으로 농산물의 신선도를 유지하며, 장기간 보관할 수 있는 기술이라 미국, 유럽, 일본 등 선진국에서 보편화되어 있다.

Global Market Insights에 의하면, **IQF 세계 시장 규모는 2022년 204억 달러(약 27조 원)에 달할 것으로 추정하며, 2032년에는 최대 339억 달**

러(약 45조 원)에
달할 것으로 예
상한다. 그리고
2023년~2032
년 동안 5.2%의
연간성장률을 보
일 것으로 예측
하고 있다.

IQF 글로벌 시장규모 추이(Global Market Insights)

　IQF는 식품의 품질, 맛, 식감을 장기간 원물 그대로 잘 보존할 수 있고, 보관과 운송이 더 쉽고 효율적이다. IQF 산업은 선진국을 중심으로 편리한 식품(밀키트, RTE 등)에 대한 수요 증가, 소비자의 라이프스타일 변화, 냉동보관을 통한 수급의 안정성 확보 등의 트렌드를 반영하여 미래에도 성장을 주도할 것이다.

　또한, 이 시장에서는 첨단 센서의 사용과 빅데이터 기반 AI 접목 및 자동화와 같은 기술적 진보가 빠르게 진행되면서 IQF 인프라는 더욱 효율성과 정확성을 향상하고 있다. 결론적으로 **IQF 산업은 식품 품질 향상, 유통기한 연장, 폐기물 감소** 등 식품 산업에 많은 이점을 제공한다.

　그러나, IQF 시장은 몇 가지 제약요소가 존재한다. 가장 큰 제약요소는 **높은 초기 투자**이다. IQF인프라 구축에는 초기에 재정적 투입이 다른 시설에 비해 매우 크다. 따라서, 소규모 전처리 가공업체와 제조업체는 시장에 진출하거나 운영을 확장하는 데 큰 장벽이 된다.

두 번째는 **운영 상에서 많은 전기세 등의 유틸리티 비용**이 발생한다. 이러한 제약요소는 중소업체가 신시장을 개척하는데 매우 어렵게 만들고 있다. 따라서, 정부에서 미래시장 구축과 식량 안보 및 물가안정화 차원에서 한시적 지원이 필요하다.

현재처럼 문제 발생 후, 사후 약방문(死後藥方文)식으로 할당과세(일정 기간 동안 일정량의 수입 물품에 대해 관세율을 낮춰서 부과하는 제도를 의미)를 통한 수입 확대가 아니라, 근원적 문제 해결에 투자를 해야 한다. 할당관세는 단기적 대처만 가능하지 반복되는 악순환을 막을 수 없다.

최근에는 다양한 기술을 접목하여 제약요소 해결 및 자원 재활용과 환경 보호 등의 문제점을 해결하는 좋은 방안이 나오고 있다. 가장 앞서가고 있는 곳이 (주)한국초저온이다. 이 회사는 **LNG냉열을 활용하여 투자 최소화와 운영상의 효율성을 극대화**하고 있다.

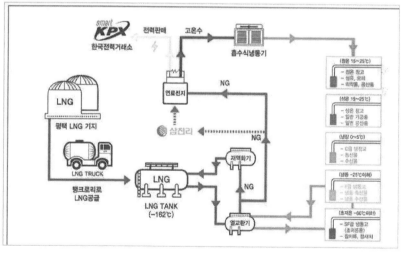

LNG를 활용한 초저온 기술(투데이에너지)

199

천연가스(NG)를 원산지에서 채취하여 효율적인 운송을 위해 액화를 시키는데, 기체에서 액체로 변한 액화천연가스 LNG(Liquefied Natural Gas)는 1/600로 부피가 줄게 되고, 온도도 -162℃의 액체 상태가 된다. 이 LNG가 가진 -162℃ 냉열을 활용하여 초저온(-80℃~-60℃) 창고와 냉동(-25℃) 창고를 운영하고 있어서 **일반 냉동방식 대비 전력비가 크게 절감되어 보다 친환경적으로 운영**하는 것이다.

기존에 버려지던 에너지를 재활용함으로써 비용 및 환경에도 큰 도움이 된 것이다. 또한, -60℃ 이하의 초저온 상태는 -40℃ 급속동결보다 더 신선하고 자연 그대로의 식품을 만들어 낼 수가 있다. 현재는 보관기술에만 활용되고 있지만, IQF 산업까지 확대한다면 매우 경쟁력 있는 산업화를 만들 것으로 보인다.

(주)한국초저온 같은 좋은 사례가 정부 지원화에 이러한 기술과 인프라가 중소/중견업체에도 도입되어 경쟁력 있는 미래 1차상품 산업을 활성하고, 더 나아가서 물가안정 및 국가안보 차원의 수급문제를 해결하는 기회가 되기를 바란다.

O2O 비즈니스로 진화하는 식자재유통

디지털이 접목되는 식자재유통시장

Preference

새벽배송하면 가장 떠오르는 회사가 마켓컬리와 쿠팡 일 것이다. 그런데 실제는 CJ프레시웨이, 아워홈, 삼성웰스토리 등의 **식자재유통회사가 20여 년 전부터 새벽배송**을 하고 있었다.

일반 B2C 소비자들 하고는 다르게 식당 및 단체급식 등과 같은 B2B 고객들은 과거부터 판매할 음식을 만들기 위해 식자재를 당일 새벽에 받았다. 물론 편리성도 있겠지만, 식자재를 당일 새벽에 받아 그날 조리를 하는 것이 음식의 맛을 가장 잘 만들어 낼 수 있기 때문이다. 또한,

컬리 샛별배송 이미지(컬리 광고물)

위생안전을 최우선으로 하는 단체급식은 가능하면 재고를 최소화한다. 재고 운영 시에 발생할 수 있는 식품안전 리스크를 줄이기 위해서다.

사실 일반 소비자를 대상으로 마켓컬리가 새벽배송을 한다는 광고를 처음 접했을 때, 업(業)을 잘 아는 사람으로서 잘 이해가 되지 않았다.

새벽배송의 근간은 철저한 SCM(Supply Chain Management)역량이 바탕이 되어야 한다. 단순 배송만의 문제가 아니라, 재고관리부터 최적의 배송루트와 수용할 수 있는 물량 Capa를 정확히 알고 있어야 한다.

빅데이터를 기반으로 한 디지털 전환이 전제가 될 때 성공이 가능하다. 가공식품이야 어느 정도 저장을 통해서 재고를 가져갈 수 있지만, 신선식품의 경우 재고를 가져간다는 것은 신선함을 유지하기도 어려울 뿐만 아니라 실제 재고운영도 쉽지 않다. 그래서 대부분 신선식품은 일배상품(협력사 또는 산지에서 매일매일 신선식품을 공급받는 상품) 형태로 운영한다.

이런 운영체계에서는 수요예측도 매우 중요하다. 갑자기 예측할 수 없을 만큼 많은 주문이 들어오면 대량 결품이 발생한다. 다행히 B2B에서는 이런 문제가 거의 야기되지 않는다. 사전에 계약된 고객이 계절과 요일에 따라 일정한 패턴을 보이며 주문을 하기 때문이다. 백반집이 아니라면 메뉴도 거의 동일하므로 이슈발생 여지가 없어, 안정적으로 물량이 공급되는 것이다.

하지만, B2C의 경우는 무작위 모든 고객이 대상이 된다. 오늘 특정상품의 물량이 예측할 수 없을 만큼 주문이 들어올 수 있다. 만약, 그런 사태가 벌어지면 상당 부분 결품이 발생한다. 예를 들어 방송의 음식프로그램에서 특정한 음식이 방송되면, 그날 해당 음식과 관련된 재료에 대한 주문이 급상승한다. 이런 경험과 생각 때문에 B2C 기업이 새벽배송을 한다는 것은 어렵다고 생각했었다.

하지만, 예측은 틀렸다. 마켓컬리를 시작으로 쿠팡까지도 새벽 배송을 시작한 것이다. 어떻게 가능한지 해당 기업 관련자의 이야기를 들어보았더니 B2C는 고객부터가 생각이 달랐다.

백종원의 집밥 백선생(tvN)

고객이 찾는 물건이 없어도 큰 문제를 제기하지 않고 다른 온라인 유통회사에서 주문을 하던지, 다음 기회로 주문을 연기한다. 따라서 물량이 예측한 것보다 많이 들어오는 경우, 회사는 선제적으로 SOLD OUT 처리를 한다. 그렇게 주문을 막는다. 그래도 고객들은 큰 문제를 제기하지 않는다.

마켓컬리 SOLD OUT 사례
(마켓컬리 주문사이트)

그러나 B2B 식당의 경우, 주문하고자 할 때 해당 상품이 없거나, SOLD OUT 처리가 되어 있으면 엄청난 클레임이 발생한다. 당장 내일 음식을 만들 수 없는 상황이 발생하기 때문이다. 그리고 대형식당이나 단체급식은 워낙 사용하는 물량이 많아서 급하게 마트, 재래시장 또는 온라인사이트에서 물량을 대체 구매하기도 쉽지 않다.

이렇게 B2C와 B2B는 고객부터 생각과 사상이 엄연히 달랐다.

아마도 식자재유통회사들이 이러한 특성을 잘 이해했다면, B2C 새벽배송 시장을 먼저 진출하여 선점했을 수도 있었을 것이다. 왜냐하면, 이미 20년 전부터 물류프로세스와 콜드체인이 잘 갖추어져 있었고, 고객 주문시스템도 전산으로 100% 운영된 것이 10여 년도 넘었기 때문이다. (물론, 고객과의 계약은 대부분 오프라인 영업사원을 통해서 이루어지고 주문만 전산 프로그램으로 진행)

하지만, 이제는 B2C 고객은 둘째 치고 식자재유통회사의 주 고객까지 B2C 스타트업 기업들에게 점령당할 수 있는 상황까지 발생하고 있다. 가장 먼저 새벽배송과 시스템을 통한 주문 등 선진적 운영을 했는데도 불구하고, 진화에 대한 이해 부족으로 변화하지 못하여 반대로 잡혀 먹힐 수 있는 위기에 노출된 것이다.

여기에 B2B 고객들이 온라인 플랫폼의 편리성과 효율성에 대한 이해도가 증가하는 것도 위기 노출에 한몫하고 있다. 앞에서도 언급했지만, 가장 큰 요소가 식자재유통의 핵심 고객인 **외식업의 주체가 빠른 속도로 변화**하고 있다. MZ세대들이 외식업 창업에 많이 진출하면서 온라인 친숙도 증가하고 있고, 과거 코로나 상황 하에 비대면 니즈 증가로 온라인 거래가 가속화되었다.

고객과의 관계 및 업장 관리 편의성 측면 디지털화가 상당 부분 일어났으며, 여기에 푸드테크라는 새로운 기술의 접목은 식자재 유통시장의 빠른 변화를 촉발시키고 있다.

온라인 전환이 가속화되면서 대기업 계열 및 스타트업 등의 플레이어가 새롭게 진입하고 있다. 특히 스타트업들은 디지털 전환을 가치로 내걸고 비즈니스를 펼치고 있다. 아직도 식자재유통시장은 오프라인 유통망이 97%(오프라인 영업을 통해 전산 주문하는 고객 포함)에 달해 온라인 영역에서 성장할 기회가 무궁무진하기 때문이다.

올해 온라인 식자재 거래규모는 1조 원으로 추정되며, 2027년에는 3조 3000억 원에 이를 것으로 예상한다. 이런 환경변화를 인식하고 전통적 식자재유통기업인 CJ프레시웨이, 아워홈 등도 빠르게 움직이고 있다.

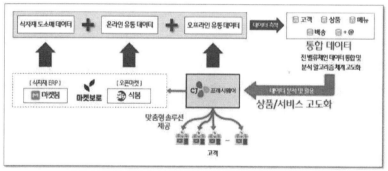

CJ프레시웨이-마켓보로 사업협력 모델 로드맵(CJ NEWSROOM)

CJ프레시웨이는 스타트업 마켓보로에 지분 투자를 통해 만들어 가고 있다. 마켓보로는 식자재 전문거래 소프트웨어를 공급하는 마켓봄과 외식사업자 전용 식자재 플랫폼인 식봄을 운영하는 스타트업이다.

CJ프레시웨이는 마켓보로와 데이터 공동 관리체계를 구축하고 식자재 구매 관련 데이터를 확보해 나가고 있다.

CJ프레시웨이는 마켓보로의 식자재유통 플랫폼 식봄을 통해 온라인 직배송 서비스를 전국 172개 시·군·구으로 진행하고 있다. 4곳의 물류센터를 통해 최적화된 배송 경로로 각 지역에 식자재를 신속히 공급하고 있다.

아워홈은 **식재료 주문 플랫폼 밥트너(Bobtner)를 론칭 자체적으로 디지털 전환**을 만들어 가고 있다. 밥트너는 신선도가 중요한 식자재를 익일 무료 배송 서비스를 제공하여 빠른 배송을 핵심으로 하고 있다. 이를 위해 아워홈은 전국 14개 물류센터를 활용한다. 밥트너의 경우 온라인 전용 자동화라인을 구축한 계룡물류센터를 중심으로 전국 택배 서비스도 진행 중이다.

밥트너 소개 자료(아워홈 홈페이지)

이처럼 식자재유통기업들이 투자를 통해 다양한 변화를 추진하고 있다. 그러나 아직까지는 그들의 성공 여부를 판단하기는 어렵다. 그들의 시도가 빠른 시간 안에 안정화되어 성공적 모델이 나오지 않는다면, 많은 식자재유통회사들은 B2C 할인점을 운영하는 이마트, 롯데마트, 홈플러스와 같은 전통기업처럼 위기가 초래될 것이다.

아직까지는 구체화하고 있지는 않지만, **쿠팡의 막강한 SCM과 상품구색력, 그리고 강력한 디지털 역량은 향후 식자재유통시장에 본격 진출 시 강력한 도전자**가 될 것이다. 앞으로 몇 년 안에 진화의 모습이 시장을 지킬 것인지 점령당할 것인지 빠르게 결판 날 것이다.

물론, 미국의 식자재유통 1위 업체인 시스코(SYSCO)처럼 거대한 아마존의 공격에도 그들만의 차별화된 전략 하에 디지털 전환을 수행해서 시장의 지배력을 더 강화하고 자본시장에서도 인정받아 시가총액을 더 크게 상승시킬 수도 있다. 시스코는 전년기준 매출액은 108조 원이고 영업이익은 4.4조 원에 이른다. 주식시장 시가총액도 현재기준 50.5조 원 수준이다.

시스코는 철저하게 **고객중심의 메뉴별 특화된 판매 플랫폼을 운영했으며, 최신 푸드 트렌드 공유 및 다양한 레시피를 플랫폼을 통해 제공함으로써** 고객 편리성을 극대화했다. 또한, 지역별 시장/경쟁사 가격데이터를 수집과 분석을 통해 **최적의 가격시스템**으로 운영했다.

이처럼 고객지향적 차별화된 전략을 운영한다면 국내 식자재유통업체도 위기만이 아니라 다시 한번 도약할 수 있는 기회를 창출할 수 있을 것이다.

쿠팡 진출에 떨고 있는
B2B 식자재유통 기업

식자재유통시장의 산업화

Preference

쿠팡의 2024년 2분기 실적이 얼마 전에 발표되었다. 분기 매출액이 처음으로 10조 원을 넘었고, 전년동기대비 73억 2,300만 달러(10조 357억 원)로 전년 58억 3,788만 달러 대비 30.8% 늘었다.

국내 소매유통시장의 성장이 정체된 상태라 대다수 오프라인 대형유통사들의 실적이 뒷걸음질 치는 상황에서 정말 놀랄만한 실적이다. 또한, 이러한 신장세는 쉽게 멈출 것 같지도 않다. 8월에 와

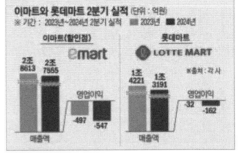

2분기 이마트, 롯데마트 실적(이투데이 그림 편집)

우멤버십 월 구독료를 4,990원에서 7,890원으로 인상했음에도 불구하고,

8월 앱 사용자 수는 역대 최대치를 경신하고 있다.

여기에 신규사업(쿠팡이츠, 파페치)과 글로벌사업(대만사업) 성장세는
더 가파르게 증가
하면서 쿠팡의 지
속적 성장을 견인
하고 있다. 2분기
해당 매출액은 전
년동기대비 480%
이상 증가했다. 이
런 성장세와 신규
사업의 성공적 진
출은 쿠팡이 한시

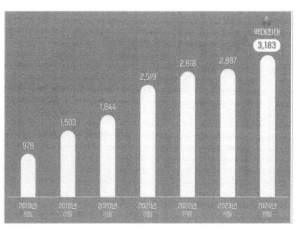

쿠팡앱 사용자수 변화/단위: 만 명(와이즈앱. 리테일. 굿즈)

적으로 기존사업에만 집중할 것 같다.

하지만 온라인 채널 점유율이 여전히 성장은 하고 있지만 과거보다 성장
세가 둔화되고, 이커머스 침투율이 46%까지 확대되어 전체 소매판매의 절
반 가까이 차지하는 시점에서 **역동적이고 무모할 정도로 도전적인 쿠팡의
특성상 새로운 시장/사업 진출을 통해 드라마틱 성장을 지속하기 위해 무
언가 새로운 도전**을 할 것이라 개인적으로 예측한다.

아마도 **새롭게 진출하는 시장은 식자재유통 시장**일 것으로 생각된다. 약
64조 원 규모로 시장이 형성되어 있고, 아직까지 특별히 시장을 지배하는
절대강자가 없다. 또한, **B2B 시장은 안정성 측면에서도 B2C 시장에 비해
우수**하다. 고객들이 한번 선정한 업체와 1년 단위 이상의 계약을 통해 대

규모 구매를 지속적으로 이어간다.

가격 운영면에서 저렴한 가격상품만 구매하는 체리피커(cherry picker·체리만 골라 먹는 사람) 리스크도 적다. 100% 한 업체에만 구매하지는 않지만 규모가 커서 타업체와 복수 구매 시에도 매출액이 크고 배송 효율성이 우수하다.

더욱이 쿠팡에게는 다른 유통회사와 비교할 수 없을 정도의 가장 큰 강점인 물류 역량이 있다. 이미 B2C 기반의 물류센터와 배송차량 및 빅데이터 기반의 SCM(Supply Chain Management) 운영역량을 확고히 하였다.

물류센터 규모도 사업 이후 6조 원을 투자하여 전국 30개 지역에 100여 곳 이상의 물류센터를 가지고 있다. 국내를 비롯해 해외에 소유하고 있거나 임차 중인 물류센터 관련 면적만 약 155만 평에 달한다. 축구장 700개를 합친 것보다 더 넓은 크기다. 이 정도의 규모는 현 식자재유통기업 및 진출을 모색하고 있는 어떤 기업도 규모에 범접할 수가 없다.

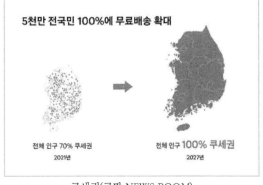

쿠세권(쿠팡 NEWS ROOM)

또한, B2C 일반고객을 대상으로 할 시는 아직 쿠세권이 100% 완성되지 않았지만, 보편적으로 식당은 도시 및 중심상권에 위치하고 있어서 B2B 고객 대상은 100% 완성되었다고 볼 수 있다.

사실 쿠팡은 2021년에 쿠팡비즈를 통해 식자재 유통업에 일부 진출을 했다. 하지만, 골목상권 침해 이슈와 B2C 경로 집중이라는 목적 하에 크게 확대는 하지 않았다. 그렇지만 최근에 변화의 움직임이 보이고 있다.

우선 B2B 고객의 변화가 쿠팡의 움직임을 빠르게 하고 있다. B2B 고객들이 온라인에 익숙해져 가고 있으며, 과거처럼 더 이상 인간관계를 통한 오프라인에서 구매하는 것을 선호하지 않고 있다. 이런 사회적 환경변화 속에 쿠팡은 B2B 사업에 좀 더 동력을 걸고 있다.

이미 운영되고 있는 쿠팡비즈가 상온 중심의 식품과 비식재 중심으로만 운영하고 있는데도 불구하고, 그 규모가 1조 원을 넘는 것으로 예상된다. 운영형태도 사업자만 가입하고 구매할 수 있는 사업자 전용 B2B몰이다.

쿠팡비즈 내 인력 충원 및 다양한 프로모션 등을 통해 새로운 고객 유치도 구체화하고 있다. 특히, 기존에 판매가 작았던 신선식품인 축산·수산, 과일·채소, 냉동 채소 등에 **즉시 할인관을 운영하면서 상품력**을 꾀하고 있다.

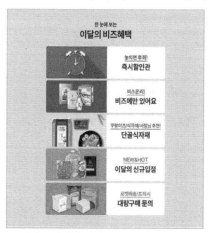

쿠팡비즈 다양한 서비스(쿠팡비즈 홈페이지)

비즈온니관을 통해 오직 쿠팡비즈에서만 구매할 수 있는 상품을 운영하고 있고, **단골식자재관**은 식당 운영에 가장 많이 사용하고 필수품 목인 대용량 식용유, 장류, 쌀, 정육

/계란을 취급함으로써 B2B 자영업자들을 적극적으로 유혹하고 있다. 또 사업을 확장하기 위해 매달 신규입점 상품도 소개하여 새로운 추가 매출을 유도한다.

이처럼 쿠팡은 쿠팡비즈를 통해 영세한 소상공인들에게 가격적으로 경쟁력 있는 상품과 주문, 배송 등의 편리성을 간편하게 제공하면서 소상공인들의 비즈니스 성장에 쿠팡이 도움을 줄 수 있다는 메시지를 지속적으로 전달하며 성장하고 있다.

다만 아직은 B2B 식자재유통 시장에서 성공을 점칠 수는 없다. B2B는 B2C와 달리 냉장/냉동상품 배달을 식당 문 앞에 놓고 갈 수가 없다. 음식을 만들어 판매하는 목적으로 구매하는 냉장/냉동상품은 반드시 냉장고에 직접 적치하든지 식당 사장님께 직접 전달을 해야 한다. (똑같은 신선상품을 공급하면서 일반고객 문 앞은 가능하면서 식당은 불가능하다는 것은 정말 이상한 규제안이다.)

더불어 **물류센터 및 배송차량이 모두 콜드체인(Cold Chain)화** 되어 있어야 한다. 현재 쿠팡 물류센터 시스템과 배송차량(상온차량 중심)에 대한 투자가 선결 조건이다. 지금의 시스템으로 공급하려면 상온식품과 비식품 중심으로 판매를 해야 한다.

따라서, 본격적 사업화를 위해 대규모 투자가 선행될 수밖에 없다.

상품적 측면에서도 보완이 필요하다. 쿠팡이 일반고객을 대상으로 판매하는 로켓배송 SKU(판매 상품 종류 수)는 600만 개를 한참 넘지만, B2B 고객에게 필요한 상품은 일부 미흡한 부분이 있다.

특히, 신선식품 부문은 많은 보완이 필요할 것 같다. O2O(Online to Offline)로 진화하는 비즈니스 식자재유통에도 언급했지만, 결품 및 SOLD OUT 처리는 사업을 운영하는데 치명적 결함이다.

이를 보완하기 위해서는 **신선상품 적정 재고관리 인프라와 최적화된 협력업체 구성**이 필요하다.

물론 쿠팡이 빅데이터 기반 AI를 통한 재고관리 시스템이 잘 갖추어졌다면 어렵지 않을 수 있지만 이 점은 반드시 분석하고 확인 후에 추진되어야 할 것이다. 지금까지 쿠팡이 걸어

콜드체인 체계(이코노믹리뷰)

온 모습을 보면 이러한 문제점은 어렵지 않게 극복할 수 있을 것이다. 지금 식자재유통사업을 영위하는 회사는 쿠팡이 B2B 사업이 본격화되기 전에 빠르게 준비를 해야 한다. 그렇지 않으면 몇 년 이후 생각보다 큰 위기가 다가올 것이다.

스스로가 가지고 있는 강점을 최적화하여야 한다. 미국의 시스코(SYSCO)가 아마존의 위협에서 이겨내듯이 기존 식자재유통회사(CJ프레시웨이, 아워홈, 삼성웰스토리, 푸디스트 등)도 발 빠르게 준비해야 한다.

Our Recipe for Growth

Sysco Is a Purpose-Driven Organization, Defining the Future of Our Industry

PURPOSE | Our Why
Connecting the World to Share Food and Care for One Another

MISSION | Our What
Delivering success for our customers through industry-leading people, products and solutions

IDENTITY | Our Role
Together we define the future of foodservice and supply chain

STRATEGY | How We Win - We will grow meaningfully faster than the market through our strategic priorities

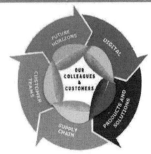

DIGITAL
Enrich the customer experience through personalized digital tools that reduce friction in the purchase experience and introduce innovation to our customers

PRODUCTS AND SOLUTIONS
Customer focused marketing and merchandising solutions that inspire increased sales of our broad assortment of fair priced products and services

SUPPLY CHAIN
Efficiently and consistently serve customers with the products they need, when and how they need them, through a flexible delivery framework

CUSTOMER TEAMS
Our greatest strength is our people. People who are passionate about food and food service. Our diverse team delivers expertise and differentiated services designed to help our customers grow their business

FUTURE HORIZON
We are committed to responsible growth. We will cultivate new channels, segments and capabilities while being stewards of our company and our planet for the long-term. We will fund our journey through cost-out and efficiency improvements

SYSCO 성장 전략(Consumer Analyst Group of New York/CAGNY자료)

지금까지 확보된 식자재품목, 메뉴 등을 반영한 판매 플랫폼 및 메뉴별 최적화된 식자재구성을 분석하여 **고객은 메뉴만 지정하면 관련 식자재가 자동 주문될 수 있는 구조화** 등도 좋은 전략 일 것이다.

이제는 단순 식자재유통 회사의 모습이 아니라 기존에 쌓아온 역량을 바탕으로 **메뉴디자이너 콘셉트의 회사로 진화**해야 한다. 또한, 지역별, 계절별, 날씨별 최적화된 판매가격 모델(Pricing Model)을 구축하여 차별성을 확고히 해야 한다.

끝으로 이커머스 회사가 가지고 있지 않은 **생산시설 및 산지와 연결된 계열화된 구조**를 완성해야 한다. 오랜 시간 식자재유통업에 종사한 입장에서 누가 하더라도 좀 더 빠르게 산업화를 이끌어 갔으면 좋겠다. 그래서 식자재유통도 국내만이 아니라 글로벌까지 확대되기를 바란다.

강점을 살리지 못하는 위기의 이마트

B2C 리테일 시장의 변화

Preference

리테일 강자 이마트를 지켜보면 유통업을 한 입장에서 많은 아쉬움이 있다. 소매유통시장을 지배하면서 타 유통업체와 비교할 수 없을 만큼 규모의 경제를 이룬 회사가 추가적 성장은 못할 망정 지금처럼 위기에 노출될 것이라 곤 꿈에도 생각 못했다.

시대적 변화에 너무나 안일하게 대응하며 자신감을 넘어 자만의 모습으로 만들어진 결과로 생각된다.

사실 미국에서도 아마존의 급성장으로 소매시장이 급격하게 온라인으로 접어듦에도 불구하고, 월마트의 방어와 지속적 성장의 성공 사례를 보면 급변하는 온라인 환경에 대응할 전략이 없었던 것은 아니다.

월마트는 지금까지 만들어온 자신들만의 강점을 극대화했다.

첫 번째 **규모의 경제와 다양한 소싱 능력을** 기반으로 Everyday Low

Prices전략을 지속적으로 유지하며 중저가 타깃의 고객에 집중했다.

월마트 Everyday Low Prices정책(tgn data)

두 번째 기존에 구축된 효율적인 공급망을 좀 더 **첨단화하여 비용의 효율성**을 꾀하며 절감된 비용을 소비자 혜택으로 확대하였다.

세 번째 온라인 구매에서 확대하기 쉽지 않은 식품부문, 그 중에서도 **신선상품을 집중적으로 강화**했다. 소비자는 신선상품은 눈으로 직접 보고 선택하는 경우가 많아서 좀처럼 온라인 구매율이 증가하지 않는다.

네 번째 최고의 강점인 **오프라인 매장을 활용한 옴니채널 전략**을 수립하여 매장과 온라인 플랫폼을 통합한 고객 편의서비스를 구축했다.

구분	월마트 커넥트	월마트 루미네이트	월마트 풀필먼트 서비스	월마트 플러스	월마트 로컬
로고	Walmart Connect	Walmart Luminate	Walmart Fulfillment Services	Walmart+	Walmart GoLocal
론칭	2021년 1월	2021년 10월	2020년 2월	2020년 9월	2021년 8월
사업 내용	월마트 온라인쇼핑몰과 매장 등 고객접점에 개인맞춤형 광고서비스	시장동향, 고객 인사이트 등 주요 의사결정을 위한 빅데이터 분석 서비스	제품 보관부터 주문처리, 포장, 배송, 추적에 이르는 풀필먼트 서비스 제공	연회비(110달러) 기반의 회원제 운영, 무료배송, 스트리밍, 연료할인 등 제공	월마트 배송인력 및 인프라를 활용해 지역업체에 배송서비스 제공

월마트 차세대 수익 모델(Retail Talk)

마지막으로 월마트는 **고객과 오프라인 네트워크를 기반으로 새로운 신**

사업을 구축하여 미래 신성장동력으로 육성하고 있다.

월마트를 보면 지금까지 이마트의 전략은 부족함이 느껴진다. 이미 수조 원 투자하여 물류인프라를 국내 최고 수준으로 구축한 쿠팡을 너무 단순하게 따라 했다. 단순히 앞서가는 경쟁자의 강점을 모방하여 자신들의 약점을 보완한 것이다. 플랫폼도 따라가기 위해 과도한 3.4조 원의 M&A 비용을 지불하고 이베이코리아를 인수했다.

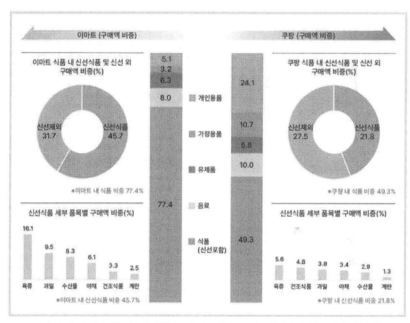

쿠팡 대비 이마트 식품(신선포함)의 강점 현황(Retail Talk/칸타 월드패널 사업부)

물론, 쿠팡이 이커머스를 통해 소매유통시장을 빠르게 잠식시켜 가는 것을 바라보면서 유통 1위 업체로써 절박함과 위기감을 느꼈을 것은 인정하나, 그래도 너무 **자신들의 장점을 살리지 못하면서 단순한 카피캣 전략(Copycat)을 수행**한 것 같다. (카피캣 전략은 흉내를 잘 내는 고양이에서 유래한 용어로, 다른 기업의 비즈니스를 모방해서 비슷한 기능과 서비스를 제공하는 패스트 팔로어(Fast follower)전략을 말함)

우선, SSG는 쿠팡과 비슷하게 가기에는 물류인프라가 매우 미흡하다. 그나마 초기 손실을 참아가며 수조 원을 인프라개선에 투입해서 추진했다면 일부 미래는 보일 수 있다. 하지만 전문경영인 체계에서 초기에 밑 빠진 독처럼 보이는 인프라 투자를 현실적으로 지속하기는 어렵다.

다음은 이베이코리아 M&A건이다. 사실 이베이코리아는 오픈마켓이다. 구매자와 판매자 모두 외부에 있고, 플랫폼만 제공하면서 수수료를 받는다. 그러나, 위에서도 언급한 것처럼 이마트는 국내 최고의 소싱 인프라를 오랫동안 구축한 회사다. **직매입 구조**

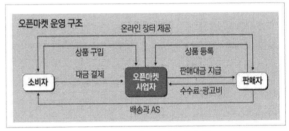

오픈마켓 운영 구조(매일경제)

와 연계한 시너지 창출이 훨씬 효과적 방법으로 스스로의 강점을 더 강하게 만들 수 있는 방법으로 보인다.

더불어 이베이코리아 고객은 로열티가 높지 않다. 판매도 자체 플랫폼으로 직접 들어와서 이루어지는 것보다 다수가 네이버쇼핑몰과 연계하여 일어난다. 물론 없는 것보다는 도움은 될 것이다. 하지만 너무 많은 비용을 들였다. 더욱이 자신의 강점도 살리지 못했다.

이러한 선택에는 **정부의 규제정책도 한몫**을 한 것이라 생각된다.

2012년 개정된 유통산업발전법에 따라 대규모 점포 등에 영업시간제한, 의무휴업일 지정 등이 가능해졌다. 정부가 소상공인과의 상생 명분으로 전통시장 반경 1㎞ 이내엔 3000㎡ 이상 마트 출점을 제한했고, 대형마트에 월 2회 휴업을 의무화했다. 영업시간도 밤 12시부터 오전 10시까지 영업이 금지되었다.

여기에 법제처가 대형마트의 의무휴업이 온라인 영업에도 해당한다고 유권 해석했다. 의무휴업일이나 영업할 수 없는 심야에 기존 점포를 물류와 배송기지로 활용해 온라인 영업을 하면 대규모 점포를 개방해 영업하는 것과 같다고 봤다. 결국 새벽배송은 주변 할인점을 활용하지 못하고 수도권 물류센터 구축해서 그곳에서 공급할 수밖에 없었다.

그래도 변화된 모습은 너무나 이마트가 가진 유통 DNA와 역량의 강점을 살리지 못했다. 하지만 더 늦지 않게 지금이라도 **이마트가 가지고 있는 장점을 최대한 활용하여 시너지와 사업적 융합을 만들어 새롭게 재도약을** 하기를 바란다.

리테일 강자 이마트는
왜 B2B 사업에 집중 안 하지?

빅블러시대 B2C, B2B 경계의 붕괴

Preference

이마트가 자신들의 강점을 최대한으로 활용해서 사업화가 가능한 것이 무엇이 있을까?

아마도 현시점에서 **B2B 식자재유통사업**이 그 첫 번째 사업이라 생각된다. 최상의 조건은 유통산업발전법의 개정으로 기존에 규제되었던 조건들이 일부 변화하는 것이다. 가장 의미 있는 변화라면 영업시간 제약 요소이다. 이 문제가 해결되면 새벽배송도 별도의 인프라투자 없이 가능해지고, B2B 식자재유통사업도 매장 내 접목 가능하면서 최고의 장점으로 활용될 것이다.

왜냐하면, **식자재유통 프로세스는 새벽배송과 동일한 형태**로 움직이기 때문이다. 다만, 상품경쟁력 측면에서 일부 B2B용 대단량 품목만 확대 운영하면 된다.

식자재유통 프로세스(팀프레시 홈페이지)

　일반적으로 식자재유통의 프로세스를 보면 오후 5시에 주문이 마감된다. 이후 신선 일배상품은 협력사로 발주 정보가 전달되고, 이 정보에 맞추어서 소분한 물량을 물류센터에 오후 12시 이전에 입고시킨다.

　그다음 물류센터에서 일배상품 및 저장상품을 분류 및 피킹을 하여 오전 4시에 배송차량 적재 후 배송이 시작된다. 1회 차 배송차가 출발하면, 2회 차 배송차가 바로 물건 상차 후 출발한다. 일반적으로 3회전까지 일어난다. 보통 물류센터가 외곽에 있어서 서울 수도권 배송을 위해 불가피하게 고객 주문 마감시간을 최대 오후 5시로 한정한다.

　하지만 도시 상권에 위치한 할인점을 야간에 배송센터로 운영하면 오후 10시 주문마감을 해도 가능할 것 같다. 사실 식당 사장님들은 바쁜 시간이 끝날 때쯤 주문하는 것을 선호한다.

　할인점은 현재도 어느 정도 풀필먼트(Fulfillment, 고객이 온라인에서 상품을 주문한 후부터, 그 상품이 고객의 손에 도착할 때까지의 모든 물류 과정을 관리해주는 서비스)기능이 가능하다. 매장에 진열되어 있거나 창고에 저장되어 있는 기본적 상품들을 활용하면 충분하다. 일부만 보완하면 완벽한 형태를 구축할 것이다. 이렇게 운영된다면 B2C 새벽배송에도 물류 효율성이 최적화되어서 상호 간 시너지로 WIN-WIN이 가능한 성공모델을 구축할 수 있다.

새벽배송은 물류효율성으로 비용 절감이 가능하고, B2B 식자재유통은 투자비 최소화로 사업을 본 궤도까지 올릴 수 있기 때문이다.

추가적으로 보완될 사항은 상품경쟁력이다. B2B와 B2C는 어느 정도는 상품 호환이 가능하나, 일부는 대용량 및 전용상품 등이 보완되어야 한다. 하지만, 이 이슈도 기존에 이 마트가 오랫동안 쌓

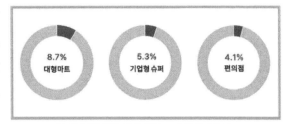

업태별 PB매출 점유율(Retail Talk/NIQ)

아온 데이터와 우수한 협력사와 산지 풀을 활용한다면 해결 가능할 것이다.

여기에 이마트가 내재화된 PB상품 개발력을 B2B상품까지 접목하면 급속도로 사업의 성장을 가속화할 수 있다. 경기 위

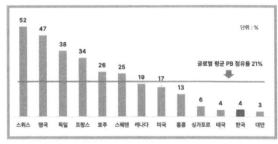

국가별 PB상품 점유율(Retail Talk/NIQ)

축 속 환경변화는 가성비 PB상품의 지속적 확대 및 경쟁력 확보에 큰 도움

이 될 것이다.

신선상품에 있어도 **자체 축산물 전문 가공 포장센터인 미트센터와 연중 신선한 농산물을 판매할 수 있는 원천인 농수산물 유통센터 이마트 후레쉬센터를 구축**하고 있다.

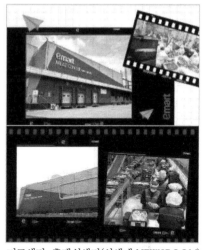

미트센터를 통해 복잡한 축산물 유통단계를 줄였고, 최신 자동화 설비를 도입해 대량생산 및 생산 비용 절감을 이뤄내 축산물 판매 가격을

미트센터, 후레쉬센터(신세계 NEWSROOM)

안정적으로 유지하고 있다. 후레쉬센터는 CA(Controlled Atmosphere, 첨단 저장 기법)를 구축하여 제철에 대량으로 매입한 원물을 저장하여 농산물 가격이 높을 때 활용하므로, 가격 안정화 및 신선한 농산물을 공급해 줄 수 있는 구조를 구축했다.

마지막으로 이마트가 국내에 가장 잘 구축되어 있고, 잘할 수 있는 **거점화된 매장 인프라의 강점**을 활용하는 것이다. 이마트의 130여 개 거점은 대다수가 도시상권 또는 인근에 위치해 있다. 직접 배송에 편리성도 있지만, B2B 고객이 직접 방문하여 물건을 구매하는데도 엄청난 강점이다.

특히, **많은 차량사업자/개인도매상(식객에 나오는 성찬과 같이 트럭 한 대를 활용하여 식당에 물건을 공급하는 업자)들이 기존 대리점, 식자재마트, 도매시장 등에서 구매하는 것을 스위칭**할 수 있는 최상의 인프라다.

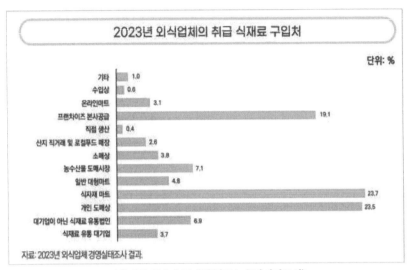

外食업체 식자재 구매처(한국농촌경제연구원)

보통 차량사업자들은 오전 5시에서 오전 7시 사이에 필요한 식자재를 구매해서 식당에 납품을 한다.

만약, 이마트가 매장을 오후 12시부터~오전 4시까지는 풀필먼트 기능의 센터로 새벽배송과 직거래용 B2B 식자재유통으로 활용하고, 오전 4시부터 오전 7시까지는 식자재매장과 같이 차량사업자를 포함한 식당사업자들이 방문하여 구매할 수 있는 매장으로 운영한다면, 24시간 돌아갈 수 있는 인프라 구조로 최상의 비용효율성을 만들 수 있다.

그렇게 만들어진 경쟁력을 고객에게 전이시켜 이마트가 첫 번째로 추구하는 Everyday Low Prices를 지속화 시킨다면 지속가능한 선순환 구조를 구축할 수 있다. 이렇게 다양하게 확보된 역량은 B2B 식자재유통사업을 추진하는데 더할 나위 없는 조건이다.

다만 아직까지 유통산업발전법이 개정되지 않았다. 하지만 다양한 온라인 이커머스가 시장을 지배하는 과정과 오히려 위축되는 골목상권의 모습은 분명히 법률이 개정될 수밖에 없는 현실이다.

물론 이마트가 막연히 그 시점만 기다리고 있다가 사업화를 시작하자는 이야기는 아니다.

선제적으로 타 계열사를 통해 준비하다가 법률 개정과 더불어 본격적으로 사업을 궤도화 하자는 것이다.

그룹에는 B2B 식자재유통을 하고 있는 계열사 신세계푸드가 있기 때문이다.

신세계푸드는 과거에는 식자재유통에 있어서 CJ프레시

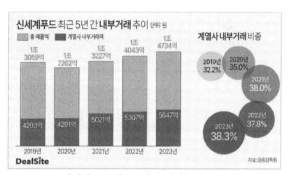
신세계푸드 최근 5년간 실적(DealSite)

웨이, 아워홈, 삼성웰스토리 등과 어깨를 나란히 했으나, 언제부터인가 식자재유통과 사업을 성장할 수 있게 만드는 발판인 단체급식은 점점 위축되고 식품제조 및 F&B 사업으로 집중되고 있다.

다른 경쟁사는 지속적 매출과 이익이 성장하고 있는데 오직 신세계푸드만이 정체되고 있으며, 또한 식품제조 및 F&B 사업도 전혀 두각을 나타내지 못하고 있다.

하지만, 신세계그룹은 아직까지 국내 NO.1 유통그룹이다. **그룹 내 유통에 대한 DNA와 기본역량이 확고하므로, 상호 간 시너지와 융합이 이루어진다면 새롭게 도약이 가능**할 것이다.

또한, 신세계푸드 자체적으로 집중하는 **R&D 센터와 식품 제조 인프라**는 앞으로 **변화되는 식당 사장님과 단체급식의 니즈를 충분히 반영하여 센트럴 키친(Central Kitchen)상품, 간편 편의식, Fresh Food, 케어푸드 등을 집중적으로 연구개발 및 생산하면 식자재유통시장 내에 좀 더 차별화된 역량**을 가지고 선도해 갈 수 있다.

지금이라도 늦지 않았다. 신세계그룹 차원에서 B2B식자재유통시장 진출을 좀 더 구체화하고, 초기에는 그룹의 역량을 신세계푸드에 집중하여 기본 근간을 확보한 후, 유통산업발전법이 변화 시에 이마트 인프라를 접목한다면 누구도 넘볼 수 없는 식자재유통 NO.1이 가능할 것이다.

소매유통과 이커머스도 시너지 창출로 쿠팡에 비견할 수 있는 모습으로 진화될 것이라 예측된다. 개인적 의견이지만, 신세계그룹이 빠른 변화와 진화를 통해 다시 한번 미래 유통시장을 이끌어 가기를 기대해 본다.